TUS HIJOS Y LAS
NUEVAS TECNOLOGÍAS

Amat Editorial, sello editorial especializado en la publicación de temas que ayudan a que tu vida sea cada día mejor. Con más de 400 títulos en catálogo, ofrece respuestas y soluciones en las temáticas:

- Educación y familia.
- Alimentación y nutrición.
- Salud y bienestar.
- Desarrollo y superación personal.
- Amor y pareja.
- Deporte, fitness y tiempo libre.
- Mente, cuerpo y espíritu.

E-books:
Todos los títulos disponibles en formato digital están en todas las plataformas del mundo de distribución de e-books.

Manténgase informado:
Únase al grupo de personas interesadas en recibir, de forma totalmente gratuita, información periódica, newsletters de nuestras publicaciones y novedades a través del QR:

Dónde seguirnos:

 | @amateditorial

  | Amat Editorial

Nuestro servicio de atención al cliente:
Teléfono: **+34 934 109 793**
E-mail: **info@profiteditorial.com**

— ESCUELA DE PADRES —

TUS HIJOS Y LAS NUEVAS TECNOLOGÍAS

Consejos y pautas para educarlos y protegerlos

Óscar González

Amat
editorial

© Óscar González, 2019
© Profit Editorial I., S.L., 2019
Amat Editorial es un sello editorial de Profit Editorial I., S.L.
© Ilustraciones: «Designed by Freepik»
Diseño y maquetación: Marc Ancochea
Diseño de cubierta: Joan Moreno

ISBN: 978-84-17208-70-7
Depósito legal: B 1092-2019
Primera edición: Febrero 2019

Impresión: Gráficas Rey
Impreso en España - *Printed in Spain*

A mi mujer, Beatriz, por tanto…
A mis hijos, Mateo y Elsa, por ser mis grandes maestros.
A ti, lector, por dedicarme tu tiempo
e intentar educar con mucho sentido común y criterio.

Nota explicativa del autor

Comprobarás que, a lo largo de este libro, no hablo de «niños y niñas» ni de «hijos e hijas», sino de «niños» e «hijos» de manera genérica. Utilizaré la forma masculina por defecto, alternándola de manera ocasional con usos específicos de género o número distintos. También hago uso del universal «padres» para referirme a «madres» y «padres». Quiero aclarar que no se trata de un uso sexista del lenguaje, sino de una manera de facilitar al máximo la lectura, simplificando los diálogos y las explicaciones que contiene el libro. Si se plantease una distinción por sexo en algún tipo de comportamiento, quedará convenientemente explicado y reseñado. Muchas gracias de antemano por tu comprensión.

Índice

Presentación

Si buscas resultados distintos, no hagas siempre lo mismo.
ALBERT EINSTEIN

Todos los padres queremos educar a nuestros hijos de la mejor manera posible. Esto es una realidad. Pero en la actualidad, muchos nos estamos encontrando con serias dificultades para conseguirlo. Nunca hasta ahora habíamos tenido acceso a tantísima información sobre cómo educar a nuestros hijos ni se habían escrito tantos libros sobre educación y *parenting*. Tampoco habíamos tenido un acceso tan fácil a profesionales a los que consultar nuestros problemas educativos diarios como el que tenemos hoy en día. Esto debería facilitarnos criar y educar a nuestros hijos, pero la realidad nos muestra lo contrario: nunca ha resultado tan difícil hacerlo como ahora. ¿Qué está ocurriendo?

Los padres de hoy, en términos generales, nos encontramos agobiados, perdidos y desorientados. Afrontamos nuestra tarea educativa cargados de miedos, dudas e inseguridades, preguntándonos constantemente si lo estaremos haciendo bien. Otros, desbordados, afirman directamente no saber qué hacer con sus hijos porque, como se suele decir, no vienen con manual de instrucciones. La sociedad actual tampoco nos facilita las cosas: excesivas obligaciones, grandes dificultades para conciliar familia y trabajo, un ritmo de vida acelerado y un largo etcétera. Vivimos en una sociedad en la que los cambios son tan rápidos que nos impiden educar con calma y serenidad. Y es urgente y necesario cambiar esta dinámica si queremos vivir y disfrutar al máximo de esta **experiencia única**.

El objetivo de la colección **Escuela de Padres** es ayudarte a educar bien, con sentido común y criterio. No se trata de un manual de instrucciones, sino de una guía completa y estructurada que te servirá como hoja de ruta desde el nacimiento de tu hijo hasta su adolescencia. Considera estos libros como unos compañeros de viaje en esta tarea, que no es tan difícil como parece, y a los que podrás acudir cuando lo consideres necesario. Esta colección contiene la información fundamental para ejercer tu tarea educadora y conseguirá que tus relaciones familiares sean mucho más gratificantes y enriquecedoras. Te mostraré de qué forma puedes valorar y tener en cuenta a tus hijos para que consigan confianza y seguridad en sí mismos, y logren una autoestima sana y sólida. Aprenderás a guiarlos y orientarlos de la manera correcta, y a educar sus emociones. También aprenderás a establecer normas y límites de forma adecuada. Te facilitaré pautas de actuación que permitan resolver con éxito los problemas que te irás encontrando en cada una de las distintas etapas educativas.

Se trata, pues, de una colección útil y práctica que huye de complicadas teorías educativas para ofrecerte consejos, pautas, técnicas y herramientas que ya han sido puestas en práctica y han mostrado que son eficaces para educar niños felices y convertirlos en adultos también felices, pues cabe recordar que los niños de hoy serán los adultos del mañana. Además, todos los libros de la colección contienen actividades y ejercicios que **invitan a la reflexión y a la acción**.

La educación es una ciencia y también un arte; un arte que debe aprenderse. Estos libros pretenden ayudarte a conseguirlo de manera sencilla y práctica. Pero no lo olvides, al final vas a ser tú quien ponga en práctica las ideas que te ofrezco. Nadie puede educar por ti: es tu compromiso y la tarea más importante que se te ha encomendado. Comprométete a hacerlo de la mejor manera posible.

¿Nos ponemos en marcha?

¿Por qué puede ayudarte este libro?

Uno de los temas que más preocupan a los padres a la hora de educar a sus hijos es el de las nuevas tecnologías y, en especial, el uso que estos hacen de sus dispositivos electrónicos (móviles y tabletas). A nuestra Escuela de Padres nos llegan a diario preguntas como:

- ¿A qué edad es recomendable comprarle el teléfono móvil?

- ¿Deben comer con la televisión o la tableta delante porque así están entretenidos?

- ¿Cuánto tiempo al día es conveniente que estén «conectados»?

- ¿Se recomienda el uso de las nuevas tecnologías en clase?

Son cuestiones que demuestran que hay una gran preocupación y, al mismo tiempo, un gran desconocimiento sobre el tema debido a que los cambios a nivel tecnológico se producen a una gran velocidad. Esto nos hace recordar una frase que aparece en otros libros de la colección y que resume muy bien la dificultad de educar hoy:

El siglo XXI es la época en que la velocidad del cambio ha superado nuestra capacidad para controlarlo.
RICHARD GERVER

En este libro encontrarás respuesta a todas estas preguntas y aprenderás sobre la mejor manera de hacer un buen uso de la tecnología. Si como padre desconoces herramientas como WhatsApp, Facebook o Twitter, o no sabes cómo usar un ordenador, una tableta o un smartphone, difícilmente serás consciente de los riesgos que conllevan ni podrás proteger y ayudar a tus hijos para que puedan navegar de forma segura. Aprender el uso adecuado de las nuevas tecnologías te resultará beneficioso para poder guiar, enseñar y acompañar a tus hijos, y conseguir que hagan un uso responsable de las mismas.

Con este libro vas a:

- Aprender las claves necesarias para ofrecer a tus hijos una adecuada educación tecnológica.

- Aprender los criterios necesarios para educar de manera eficaz en el uso de la tecnología en cualquiera de las etapas educativas (desde la infancia hasta la adolescencia).

- Recibir las herramientas necesarias para aprender a proteger a tus hijos de los peligros de internet y del mal uso de las tecnologías.

- Recibir estrategias actualizadas que te ayudarán a convertirte en un auténtico padre del siglo XXI con capacidad y criterio para educar.

En este libro te ofrezco las claves para conseguir todo esto y mucho más. Se trata de una obra de consulta sencilla escrita con un lenguaje accesible en la que encontrarás una serie de **pautas, orientaciones, herramientas y consejos** para que las nuevas tecnologías y el uso de dispositivos electrónicos, lejos de verlos como un enemigo, se conviertan en el aliado perfecto en el desarrollo personal de tus hijos. Se trata de un manual de consulta en el que encontrarás respuesta a esa gran cantidad de interrogantes que te formulas a diario sobre el tema.

Mi objetivo es que cuando termines de leerlo y a medida que lo vayas poniendo en práctica, puedas afirmar que te ha sido de utilidad aplicando todas sus claves y herramientas.

Déjame plantearte un reto antes de que empieces a leerlo: cuestiona todo lo que te proponga y acéptalo como válido únicamente si a ti te resulta útil y efectivo.

No crea nada. No importa dónde lo lea o quién lo diga, incluso si lo he dicho yo, a menos que concuerde con su propio juicio y su sentido común.

BUDA

¿A quién va dirigido este libro?

Este libro es para aquellos a padres y educadores que quieren ofrecer a sus hijos una buena **educación digital**, dotándolos de las herramientas necesarias para que hagan un uso sin riesgo de la tecnología. Está escrito desde una visión optimista, alejándonos de ver estas tecnologías como las grandes enemigas a batir y **convirtiéndolas en sus grandes aliadas** a la hora de educar a sus hijos.

No es preciso ser un experto en tecnología para comprender este libro y convertirse en un verdadero «padre digital». Es un libro al que le sacarás mucho partido si:

1. **Eres padre:** tienes un hijo (por lo menos) o vas a tenerlo y quieres aprender a educarlo en un buen uso de la tecnología en cada una de las etapas educativas.

2. **Quieres conocer lo que acontece en la etapa educativa** en cuanto al uso de la tecnología se refiere. Cada etapa nos presenta nuevos retos y desafíos para los que debemos estar preparados (ciberacoso, adicción a los juegos en móviles, internet o consolas, normas sobre el uso de la tecnología, etc.). Comprobarás que nuestro objetivo principal es la prevención: **prevenir para proteger.**

3. **Quieres consejos prácticos y útiles para mejorar en tu tarea de ser padre** recibiendo la máxima información sobre el tema. Quieres estar al día y necesitas herramientas para educar mejor desde hoy mismo.

Iconos utilizados en el libro

Para ayudarte a encontrar la información esencial o para destacar datos relevantes, he incorporado los siguientes iconos:

 Llama tu atención hacia una información destacada o ante un problema educativo específico.

 Destaca aspectos esenciales que debes recordar.

 Reclama tu atención sobre aspectos importantes que te serán de mucha ayuda.

 Compartiré contigo noticias destacadas en prensa sobre el uso (y el mal uso) de la tecnología para llamar la atención sobre los peligros reales a los que nos enfrentamos.

 En cada apartado conversaremos con expertos (psicólogos, pediatras...), que nos ofrecerán las claves educativas sobre determinados temas y problemas específicos. Además, incluyo ideas de grandes expertos en educación que te ayudarán a reflexionar sobre tu intervención educativa con tus hijos.

 Se incluyen las preguntas más frecuentes de los padres en referencia al tema que estamos abordando.

1. Las nuevas tecnologías

No dejemos que nuestros hijos se conviertan en navegantes solitarios.

PILAR GUEMBE & CARLOS GOÑI

L as nuevas tecnologías han llegado para quedarse. Además, crecen y avanzan a un ritmo tan vertiginoso que la gran mayoría de padres nos vemos desbordados, perdidos y desorientados ante tanta información. Si a esto le sumamos el gran dominio que tienen nuestros hijos –que han nacido con internet y para quienes la red forma parte de sus vidas– de estas tecnologías, hay que entonar el famoso «¡Houston, tenemos un problema!».

Vivimos rodeados de aparatos que en la gran mayoría de ocasiones no sabemos para qué sirven y ni tan siquiera si los necesitamos..., pero esta sociedad nos empuja a «tener lo último». Gran error.

Lo que ocurre es que la hora de educar a nuestros hijos tomamos como referencia «lo que han hecho con nosotros» (aunque muchas veces no queramos reconocerlo). En el caso de las nuevas tecnologías no tenemos referentes, ya que a nosotros no nos educaron en el buen uso de internet o el teléfono móvil, sencillamente porque no existían o estaban en una fase embrionaria. La brecha digital entre generaciones es el origen de una gran cantidad de problemas de las familias actuales.

De hecho, esta brecha digital entre padres e hijos dificulta más si cabe el control parental, ya que los padres consideramos que es difícil conocer las nuevas tecnologías porque avanzan y crecen de manera exponencial. ¿Sabes más de redes sociales que tu hijo? ¿Te manejas con mayor soltura con el móvil que tu hijo? Posiblemente no..., pero queramos o no, tenemos la obligación de estar al día para poder **orientar, guiar, acompañar y educar a nuestros hijos** de la mejor manera posible en esta faceta tan importante de sus vidas.

Es nuestra obligación poner normas en el uso de los teléfonos móviles, supervisar qué hacen cuando navegan por la red y estar pendientes en todo momento de qué es lo que hacen con sus móviles y tabletas.

Puede parecer complejo, pero tranquilo: en estas páginas voy a ofrecerte las herramientas que debes conocer para abordar las nuevas tecnologías y aprender a educar en el buen uso de las mismas.

Nuevas tecnologías

Como ya he comentado, la tecnología evoluciona a una gran velocidad y cada día aparecen nuevas aplicaciones, redes sociales... Esto a los padres nos desborda y nos produce una gran desorientación. Y tiene consecuencias: dejamos ordenadores, smartphones, tabletas y videoconsolas en manos de nuestros hijos a edades cada vez más tempranas para que aprendan sin ningún tipo de guía o supervisión, lo que es un gran error. Nuestra obligación y responsabilidad es implicarnos y actualizarnos para educar a nuestros hijos en un uso seguro. Al respecto, Javier Urra comenta:

«Con las nuevas tecnologías, los niños tienen más capacidades, más posibilidades y una diversidad que antes no se tenía. Producen cambios cognitivos, pues tienen más información que los de generaciones anteriores (mucha más), que no se ha de confundir con formación. No se comprueba lo que se estudia, les vale el "corta y pega". Un niño puede estar navegando por internet, jugando con los videojuegos, explorando lugares de cómics y no acceder a los foros que tratan de temas de interés, ni consultar las enciclopedias virtuales. [...] Las nuevas tecnologías han supuesto modificaciones sociales en los usuarios».

Fuera excusas

Como vemos, es necesario enseñar a nuestros hijos a utilizar de una manera útil estas tecnologías, así como la información a la que acceden, y somos los padres los que debemos acercar a nuestros hijos a esta educación tecnológica. Lo que ocurre es que solemos poner cientos de excusas para no «actualizarnos». Las más frecuentes son:

- No dispongo de tiempo para aprender.
- Ya no tengo edad para aprender.
- Mi hijo sabe más de internet que yo.
- Total, mis hijos no se van a meter en problemas...

Si tus hijos pueden estar al día, tú también puedes y debes hacerlo. Te animo a que te pongas las pilas cuanto antes en este tema, que dejes de preocuparte y sobre todo que pases a la acción para ocuparte de ello. Es urgente y necesario, pues que nuestros hijos hayan nacido en la era digital no significa que sepan hacer un buen uso de lo digital. Nuestro deber como padres es conocer estas tecnologías para minimizar los riesgos que corren cuando navegan.

Principales preocupaciones de los padres

En las diferentes Escuelas de padres que he impartido sobre este tema, las **principales preocupaciones** que manifiestan los padres en cuanto al uso de la tecnología y acceso a internet por parte de sus hijos son:

- El acceso a contenidos inapropiados.
- El posible ciberacoso.
- El miedo a que puedan sufrir algún tipo de «acoso sexual» en la red (*grooming*).
- El uso abusivo o adicción a las tecnologías (internet, móvil, tabletas...).
- El contenido que puedan compartir y la privacidad del mismo.

El momento es ahora: prevenir–acompañar–orientar

Como has visto, es urgente que nos pongamos al día sobre nuevas tecnologías y aprendamos a usar las herramientas necesarias para poder educar a nuestros hijos para que hagan un uso seguro y responsable de ellas.

Pensarás que ya llegará el momento en que puedas hacerlo, pero siempre lo estás dejando para más adelante. Te recomiendo algo: el momento es ahora, mañana será tarde. Solemos procrastinar las tareas más urgentes y necesarias, pero acometemos las menos importantes. Por este motivo te animo a que tomes la decisión y empieces ya mismo.

Lo que ocurre es que todavía encontramos a muchos padres que no son muy conscientes de la magnitud de estos riesgos o, si lo son, prefieren mirar hacia otro lado porque no saben qué hacer o porque les da vergüenza reconocer su ignorancia. Espero que no seas tú uno de ellos, pero si es así no pasa nada..., estás en el sitio adecuado.

Y te preguntarás: ¿cuál va a ser mi papel en este proceso? Verás que va a ser muy sencillo y tener este libro al lado te va a facilitar mucho las cosas. Tu función como padre a partir de hoy va a ser:

- **Prevenir.** La prevención es la base para evitar problemas que surjan de un mal uso de la tecnología. Mejor prevenirlos que luego tener que darles solución, ya que será más difícil. Como se suele decir, «más vale prevenir que curar».

- **Acompañar/supervisar.** Siempre es *mejor acompañar que prohibir*. Tu acompañamiento en este proceso educativo es esencial. Es necesario que supervises las actividades que realiza tu hijo, a qué contenidos accede, etc. ¿Quieres comprarle un móvil a tu hijo? Perfecto, pero plantéate antes si vas a llevar a cabo una supervisión de lo que hace con el mismo (esto incluye establecer límites y normas de uso). Si no es así, descarta la idea.

- **Orientar.** En todo este proceso educativo nuestra tarea principal va a ser la de orientar a nuestros hijos para que hagan un buen uso de la tecnología. ¿Cómo lo conseguiremos? Un primer paso (quizás el más importante) es que actuemos con coherencia y demos un buen ejemplo. No podemos decir a nuestro hijo que no se puede usar el móvil mientras estamos en la mesa mientras nosotros no lo soltamos ni para ir al baño. Seamos coherentes.

Es necesario enseñar a nuestros hijos a utilizar de una manera útil estas tecnologías, así como la información a la que acceden, y somos los padres quienes debemos acercar a nuestros hijos a esta educación tecnológica.

Pautas para el acompañamiento, la supervisión y la orientación

El Instituto Nacional de Ciberseguridad de España nos propone las siguientes pautas:

- **Sé el mejor ejemplo para tu hijo.** Antes de poner normas, piensa que estás obligado a cumplirlas, así que sé coherente y haz exactamente lo que le pides a tu hijo. Dicen que educar con el ejemplo no es una manera de educar, sino la única.

- **No demonices las nuevas tecnologías.** Tu hijo las necesita para su desarrollo personal y profesional; es más útil centrarse en consensuar criterios y sensibilizar de los riesgos y de las posibles consecuencias de los comportamientos inadecuados.

- **Elige contenidos apropiados para su edad.** Ayúdale a descubrir sitios que promuevan el aprendizaje y la creatividad y que profundicen en sus intereses. Algunos contenidos de internet pueden ser perjudiciales para su educación y desarrollo. Apóyate en herramientas de control parental para monitorizar y controlar los contenidos a los que accede tu hijo; a edades tempranas pueden resultar de mucha utilidad.

- **Preocúpate de conocer el entorno y la tecnología.** Es necesario conocer mínimamente la relación entre los menores e internet para poder ofrecerles una guía y un soporte apropiados. No hace falta ser un experto, pero es recomendable que te formes en la medida de lo posible. Ten en cuenta que si tu hijo percibe tu desconocimiento del medio, difícilmente querrá que le acompañes en la exploración de internet, además de no tomar en serio tus recomendaciones.

- **Interésate por lo que hace en línea, comparte actividades y fomenta el diálogo.** Conoce las amistades en la red de tu hijo, las aplicaciones que utiliza y sus intereses. Fomenta el intercambio de conocimientos y experiencias sobre internet; de esta manera encontrará menos dificultades a la hora de trasladarte sus dudas y preocupaciones. Comparte actividades (que te ayude a configurar las opciones de privacidad de las redes sociales, échale una partida a un juego online), es una de las mejores formas para supervisar su actividad en internet y trasladarle nuevos puntos de vista con la intención de sensibilizarle.

- **Ayúdale a pensar críticamente sobre lo que encuentran en línea.** Los chavales necesitan entender que no todo lo que ven en internet es cierto: se puede confiar en la web pero no se debe ser ingenuo. Enséñale a desconfiar de las apariencias y a contrastar la información en caso de duda.

- **Asegúrate de que se siente cómodo solicitando tu ayuda.** Evita la sobrerreacción y el juicio rápido. Si tu hijo presiente que se meterá en problemas al trasladarte algún comportamiento inadecuado que haya realizado o que perderá algún privilegio (como el acceso a internet o el teléfono móvil), será más reticente a solicitar tu ayuda, lo que puede provocar que intente resolverlo por sí mismo acrecentando el problema.

Según un estudio realizado por CEPS, muchos padres centran sus energías en amonestaciones e intentando imponer límites. En cambio, pocos se sienten capaces de seguir a sus hijos cuando están conectados, acomplejados ante sus carencias a la hora de navegar y afrontar otras tecnologías con la misma habilidad con que lo hacen ellos.

Como muy bien señala Leonardo Cervera en su libro *Lo que hacen tus hijos en internet*:

«De la misma manera que los niños necesitan padres que les lleven al parque y les ayuden a cruzar la calle, los niños y los adolescentes de hoy en día también precisan de padres que les acompañen a navegar por las calles y parques de internet».

Interesante, ¿verdad?

No pongas ninguna excusa y actualízate. Ya has empezado leyendo este libro, te felicito porque es el primer paso.

2. Educar en positivo

La irrupción de las nuevas tecnologías nos obligan
a educar a los niños de forma distinta.

HOWARD GARDNER

Internet. Ideas previas

Llevamos muchos años oyendo hablar de internet y de cómo nos ha cambiado la vida. Pero es que es verdad... ¿Concebimos hoy un mundo sin internet y tecnología? Usamos internet casi a diario: para comprar billetes de tren, reservar una habitación de hotel, comprar en Amazon, escuchar música en Spotify... Además, si quieres saber o buscar algo, ¿dónde acudes? ¿Es posible que hagas una búsqueda en Google?

Como puedes comprobar, internet forma parte de nuestras vidas. De hecho, el día que por el motivo que sea se «cae la conexión» y no tenemos acceso a internet, parece que se va a acabar mundo...

Pero, ¿sabemos realmente qué es internet? Como muy bien definen Pere Cervantes y Oliver Tauste:

«De un modo breve bastaría con tener claro que internet es "la red de redes", entendida como el conjunto de todos los ordenadores del mundo con conexión a internet, con capacidad de enviar y recibir datos, como por ejemplo un correo electrónico.

Para no confundirnos, es interesante hacer la siguiente matización: internet y lo que llamamos web no son lo mismo. Podemos definir la web como uno de los servicios que ofrece internet, en concreto todas aquellas páginas de información a las que accedemos desde el navegador de nuestro ordenador».

Internet y los estudios

Internet puede resultar de gran ayuda para realizar algunas tareas escolares. No obstante, como en internet encontramos tantas distracciones como recursos educativos, y como uno de los principales problemas de los niños y jóvenes de hoy en día es que se distraen en exceso, debemos ir con mucho cuidado.

Como señala Leonardo Cervera, «lo de que nuestros hijos se conecten a internet mientras hacen los deberes puede ser muy útil en un momento dado, pero solo si es para un propósito concreto y por un tiempo limitado, pues de lo contrario la conexión puede acabar con la poca concentración que tenía el estudiante hasta ese momento».

Como siempre digo a los padres de mis alumnos: lo importante es dedicar tiempo a la supervisión. Si piden la tableta o el ordenador para buscar información porque tienen que hacer un trabajo, debemos supervisar que ciertamente están usando internet para buscar esa información. En caso contrario, el niño entrará en una espiral de búsquedas y sobre todo provocará que pierda el tiempo y la concentración en aquellas tareas que estaba realizando.

Esto me recuerda a la viñeta de humor que circula por la red con la Tabla de equivalencias del tiempo en internet:

«Un segundín»	→	Media hora
«Solo miro el correo»	→	45 minutos
«¡Un momento!»	→	1 hora
«¡Ya voy!»	→	3 horas
«A y media me voy»	→	Amanece

¿Te sientes identificado?

Internet y el tiempo libre

Internet y las pantallas no pueden ocupar todo el tiempo libre de nuestros hijos. Por este motivo debemos establecer unas **normas de uso** que nuestros hijos deben cumplir. Aspectos a tener en cuenta para ello son: **a)** el tiempo de exposición diario (o semanal), **b)** los momentos para conectarse a internet y **c)** los espacios desde los que acceden.

Claves para navegar en la red

- **Dedica tiempo a navegar con tus hijos.** Conéctate con ellos y acompáñalos para conocer mejor sus intereses y preferencias.

- **Establece tiempos de conexión.** Comprueba y supervisa que estos se cumplen.

- **Ubica el ordenador en un lugar común de la casa.** Así facilitarás la supervisión.

- **Comprueba que acceden a páginas adaptadas a su edad.**

- **Facilítales información sobre los posibles contenidos nocivos que se pueden encontrar.**

- **Controla el historial y supervisa los lugares que han visitado.** Observa cuáles son sus favoritos para conocer sus intereses personales.

- **Explícales las medidas de seguridad que deben tomar** a la hora de conectarse.

- **Haz uso de algún programa de filtrado o control parental** para proteger a tus hijos de algunas páginas o contenidos nocivos.

Internet no olvida. ¿Qué subimos a la red?

Este es uno de los mensajes que debemos transmitir con mayor contundencia a nuestros hijos: **internet no olvida**. Y no es una exageración. ¿Pero qué significa esto? Muy sencillo, estamos cansados de escuchar a la policía decir que todo aquello que subimos a la red puede ser bajado, todo lo que compartimos puede ser compartido de manera indefinida y todo lo que publicamos en redes sociales puede llegar a cualquier sitio y ser usado de cualquier manera. Como señalan Pilar Guembe y Carlos Goñi, «en el momento en que algo es tuiteado o enviado por las aplicaciones de mensajería instantánea, pasa a pertenecer al universo digital, un abismo sin fondo con una memoria prodigiosa».

Elizabet Kilbey reflexiona sobre esto en su libro *Niños desconectados*:

«Me consta que niños de tan solo 10 y 11 años comparten habitualmente imágenes inapropiadas online, pero sé también que los padres generalmente prefieren enterrar la cabeza en la arena como los avestruces cuando se trata de abordar este problema. Suelen pensar que es algo propio de adolescentes y que, a su edad, sus hijos no harían esas cosas; y sin embargo sí las hacen, y con frecuencia. Los niños de esas edades carecen de la madurez emocional necesaria para enviar o hacer circular imágenes explícitas de sí mismos, y conozco casos de preadolescentes de esas edades cuyas vidas se han visto devastadas como consecuencia de ello».

Yo también puedo afirmar que he conocido casos de primera mano con consecuencias devastadoras... Es muy triste que los niños tengan que llegar a vivir experiencias de este tipo para aprender la condición permanente de internet. Por eso debemos transmitirles este mensaje antes de llegar a esos casos extremos: **internet no olvida.**

Por este motivo, los expertos en seguridad tecnológica destacan la importancia de que padres e hijos menores de edad **establezcan conjuntamente unas normas de uso** de las nuevas tecnologías que incluyan el **respeto a los demás** siempre.

Recordemos a nuestros hijos **los riesgos que comporta colgar una foto** en internet, consignar los datos personales en una web o grabarse con el móvil en actitud erótica y mandárselo a los amigos.

No acabamos de ser conscientes de esto hasta que vemos aparecer en los medios noticias que nos sorprenden y llaman nuestra atención. Un ejemplo de ello es este*:

> «Detenida una joven de 14 años por difundir un vídeo sexual de una compañera de instituto. La víctima, de 13 años, se grabó en actitud erótica con su propio teléfono móvil debido a la insistencia de un compañero, quien únicamente pretendía burlarse de ella».

Agentes de la Policía Nacional han detenido, como presunta responsable de delitos de pornografía infantil y contra la integridad moral, a una niña de 14 años por la difusión de un vídeo sexual de una compañera de instituto. La víctima, de 13 años de edad, se grabó en actitud erótica con su propio teléfono móvil debido a la insistencia de un compañero, quien únicamente pretendía burlarse de ella. El vídeo fue difundido rápidamente a través de aplicaciones de mensajería instantánea entre alumnos del centro escolar. La Policía recuerda a los menores que hacerse fotos o vídeos de carácter sexual siempre es un error.

---

* https://www.lavanguardia.com/sucesos/ 20130604/54375350728/ detenida-joven-14-anos-difundir-video-sexual-companera-instituto.html

El sexting o envío de imágenes de contenido sexual a través de internet y desde ordenadores portátiles, de sobremesa o dispositivos móviles como smartphones o tabletas, es una práctica peligrosa. Los menores que se planteen caer en esta conducta deben saber que mandar este tipo de imágenes puede conducir a situaciones de chantaje, ciberacoso sexual o acoso en el entorno escolar (grooming o bullying), y otras variedades que pueden ocasionar un grave perjuicio y trastorno de su vida personal.

En este caso, la menor se vio influida por un compañero por el que habría sentido cierta atracción y quien insistió para que llegara a grabar un vídeo de este tipo. La intención de este menor no era otra que ridiculizar a su compañera y de hecho él fue el primer difusor de las imágenes, aunque no ha sido detenido al tener menos de 14 años de edad y no ser imputable penalmente.

Difusión contenida

La propagación del vídeo fue muy rápida y llegó hasta numerosos alumnos y alumnas del centro escolar, principalmente a través de una conocida aplicación de mensajería instantánea para teléfonos móviles. Los agentes han conseguido frenar esta difusión y detener a una de las responsables de la misma, de 14 años de edad. Los investigadores también han trasladado a los alumnos implicados que cualquier conducta equivalente a poseer, difundir o exhibir material con contenido pornográfico de menores de edad es un delito y que el daño que se causa a las víctimas de casos de este tipo es muy importante.

Ya son varios los casos ocurridos en el último año de fotografías y vídeos de carácter sexual protagonizados por jóvenes que luego se propagaban de forma viral por venganza personal o se utilizaban para su vejación o chantaje sexual. La Brigada de Investigación Tecnológica de la Policía Nacional advierte de que si se realizan prácticas contra la intimidad o el honor se comete un delito, así como que compartir actos o imágenes íntimas puede ser un error con efectos casi irreversibles. Por ello, los expertos en seguridad tecnológica destacan la importancia de que padres e hijos menores de edad establezcan conjuntamente unas normas de uso de las nuevas tecnologías que incluyan el respeto siempre a los demás, y recuerdan una premisa básica: «a internet le cuesta olvidar».

Las fotografías se han convertido en el medio de expresión preferido por nuestros hijos. Por este motivo entre ellos triunfa una red social en la que una imagen vale más que mil palabras: Instagram. Es muy importante que hablemos con nuestros hijos del tiempo que conviene dedicar a esta red social, así como del correcto uso que deben hacer de sus herramientas para que no afecte a su reputación y privacidad.

Como se destaca en *Kids and teens online*, «lo que comenzó siendo una red centrada en la fotografía se ha convertido en un entorno en el que los adolescentes conversan, se envían mensajes y hablan de sus cosas, planes, inquietudes, grupos musicales, etc. Es para ellos un verdadero medio de comunicación, en el que se envían de forma cotidiana hasta fotografías con los ejercicios que ha puesto el profesor de matemáticas, de lengua o de cualquier otra asignatura. Muchos de ellos hacen un uso responsable, cuidando lo que dicen y las fotos que suben, y respetando la privacidad de los demás. Pero en otros casos no sucede así, y podemos encontrar a niños o niñas de 11 años subiendo fotografías que no deberían publicar o utilizando la herramienta de forma inadecuada».

Hablaremos con mayor detenimiento sobre el tema en el apartado «Principales redes sociales».

En muchas ocasiones los padres no tenemos ni idea o no comprendemos qué sentido tienen las fotos que publican nuestros hijos. Por este motivo es bueno y necesario que en algún momento hablemos con ellos sobre qué fotos pueden publicar, cuáles no son convenientes y **cuáles pueden llegar a ser incluso peligrosas:**

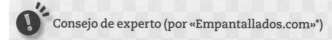

Consejo de experto (por «Empantallados.com»*)

- **Fotografías tipo selfie.** El autorretrato es una forma actual y espontánea de comunicarse, que además está de moda. No debe preocuparnos siempre y cuando no sea excesivo el narcisismo o postureo. Sin embargo, estate atento si solo publican selfies, muchas veces frente al espejo, y no incluyen en ellos el sentido del humor.

- **Fotografías sobre la intimidad familiar o de los amigos.** Parece obvio qué fotos no se deben enseñar fuera de la intimidad familiar, pero los adolescentes a veces no lo tienen claro. Cuando se hacen fotos en casa en cualquier momento, es bueno que se planteen qué cosas no es necesario enseñar a cualquiera. También con su grupo de amigos: hay cosas que se pueden compartir con el resto del mundo, pero algunas situaciones requieren un poco más de respeto.

- **Fotos que puedan perjudicar el honor de terceras personas.** Es habitual que reciban una foto de algún compañero o conocido que haya metido la pata en algo, o que sale realmente mal. A veces publicar este tipo de cosas puede hacer verdadero daño al protagonista. ¿Te gustaría que publicaran una foto tuya así?

- **Fotos provocativas.** Hay una moda entre los adolescentes, bautizada como sexting, que consiste en enviar fotografías íntimas, con contenido erótico e incluso sexual. Normalmente este contenido se envía a una sola persona, pero es muy común que antes o después esas fotos se reenvíen. Si las publican, las reenvían o las guardan, podrían ser cómplices de algo que puede llegar a ser delito. Hay fotos que es mejor no hacer.

---

* Empantallados.com es una iniciativa de Fomento de Centros de Enseñanza, en colaboración de numerosos expertos de la educación y tecnología.

- **Fotos que ofrezcan datos personales.** Por una cuestión de seguridad, no es bueno que los menores publiquen fotos que puedan identificar su domicilio o su colegio, ni muestren datos como la matrícula del coche u otros datos personales. Tampoco es bueno que su nombre de perfil sea su nombre completo o con su fecha de nacimiento. Y por último, es desaconsejable publicar la ubicación o información sobre dónde han sido tomadas las fotos.

Atrapados en las redes sociales

En primer lugar deberíamos definir qué es una **red social** para entender mejor qué es lo que está ocurriendo y la relación que tienen nuestros hijos con las mismas. Según la Agencia de Protección de Datos de la Comunidad de Madrid, podemos definir la red social como esencialmente una aplicación online que permite a los usuarios generar un perfil con sus datos en páginas personales y compartirlo con otras personas, haciendo pública esta información».* Según la Real Academia Española (2016), es una «plataforma digital de comunicación global que pone en contacto a un gran número de usuarios».

Según el estudio anual de redes sociales de IAB en 2016, un 86 % de los internautas de entre 16 y 65 años utilizan redes sociales, lo que supone más de 19 millones de usuarios en nuestro país.

Las redes sociales son unos de los espacios más utilizados por nuestros hijos en la red y en el que son más vulnerables. Más adelante veremos con más detalle algunas pautas de uso que servirán para prevenir posibles problemas.

---

* VV.AA., «Memoria del IV Premio a las Mejores Prácticas Europeas en Materia de Protección de Datos», Agencia de Protección de Datos de la Comunidad de Madrid, 2007.

¿Qué requisitos debería cumplir una red social?

- Ser una red de contactos.

- Tener un perfil.

- Permitir interactuar.

- Ofrecer funcionalidades sociales para interactuar con contenidos (crear, compartir y/o participar).

En su blog *Familia Actual*, Pilar Guembe y Carlos Goñi han publicado un interesante post en el que cuentan la experiencia de «desconexión» narrada por el tecnólogo Steven Corona, que trabaja como director de la compañía Twitpic. Corona no decidió retirarse a un monasterio del Tíbet a meditar, ni tiró su smartphone a la basura; simplemente decidió estar treinta días sin conectarse a ninguna red social (Twitter, Facebook o Reddit), como venía haciendo diariamente desde los últimos cuatro años. Se trata de un testimonio muy valioso porque quien lo ha realizado es un joven nativo digital de 25 años inmerso de manera personal y profesional en las nuevas tecnologías.*

Cuenta que no solo sigue vivo después de esta experiencia, sino que ha sido totalmente enriquecedor por varios motivos:

- Ha tomado conciencia de lo enganchado que estaba a las redes sociales.

- Se ha hecho consciente del tiempo que perdía usando las redes sociales.

---

* Puedes leer el artículo original de Steve Corona aquí: https://lifehacker.com/5918784/how-30-days-without-social-media-changed-my-life? utm_campaign=socialflow_lifehacker_facebook&utm_source=lifehacker_facebook&

- Se ha dado cuenta de hasta qué punto había llegado a sustituir las relaciones personales del mundo real por las virtuales y de las diferencias notables que hay entre unas y otras.

Según cuenta sobre su experiencia, lo primero que sintió fue síntomas de un malestar que indicaban que estaba pasando por un auténtico *síndrome de abstinencia*. Por eso, lo más interesante es que tras su experiencia de desconexión **ha aprendido a conectarse de otro modo** totalmente diferente y enriquecedor.

En palabras de Carlos Goñi: «Miles de jóvenes y no tan jóvenes, quizá nuestros hijos, están atrapados en las redes sociales, como lo estaba Steven Corona. Continuamente conectados con un mundo virtual y desconectados del mundo real. Viven encerrados en el fondo de la caverna mediática, llenándose de datos y hablando con sombras. Los amigos reales los tienen al lado, pero no los ven porque no pueden desviar la mirada de sus pantallas. Sugerimos proponer a nuestros hijos un mes sin redes sociales, un mes de desconexión. Que este agosto, el mes de las vacaciones, lo sea de verdad, que nuestros hijos adolescentes prueben a estar, como lo estuvo Steven Corona, 30 días sin Facebook, sin Twitter, sin conexión. Seguro que, al salir a la luz y contemplar la realidad iluminada con luz natural, descubrirán que estaban atrapados en una red, y se sentirán liberados. ¡Feliz desconexión!».

Esto merece una seria y profunda reflexión por nuestra parte. ¿Seremos capaces de educarlos y ayudarles a «desconectarse» para que aprendan a conectar con ellos mismos? Empecemos por nosotros... Sigue leyendo, porque en este libro encontrarás las claves que te ayudarán a conseguirlo.

Más adelante hablaremos del gran problema que supone la **adicción a la tecnología.**

Mírate en el espejo

Te invito a que tomes conciencia de **todo lo que nos perdemos** por estar enganchados a la pantalla del móvil. No te quejes de la adicción de tus hijos a la tecnología si tú actúas de la misma manera. Nuestro ejemplo es clave y ayuda a que las relaciones fluyan.

Podemos afirmar que por culpa de este «enganche» y «adicción» al móvil o a las propias redes sociales nos perdemos mucho de la infancia de nuestros hijos. Dejamos de lado momentos inolvidables como jugar con ellos, contarles cuentos, el contacto físico a través de mimos, caricias y abrazos, o algo tan sencillo e importante como **mirarles a los ojos mientras nos hablan.**

Por este motivo te doy un consejo: apaga el móvil, desconecta tus redes sociales y **conecta con tus hijos.** Te lo agradecerán y te lo agradecerás a ti mismo...

Recuerda esto: no solo tenemos que controlar la relación de nuestros hijos con la tecnología, sino que debemos controlar también la nuestra.

Principales redes sociales

A continuación trataremos las redes sociales preferidas por nuestros adolescentes (y digo «adolescentes» porque la edad legal de uso de las mismas la tenemos en esta etapa. No puedo entender que haya niños de 9 años que tienen una cuenta en Facebook o Instagram).

¿Tu hijo tiene menos de 12 años y está en alguna de estas redes sociales? Te hablaré de las limitaciones de edad un poquito más adelante, pero para empezar te invito a que reflexiones y medites si realmente son beneficiosas y los peligros que entraña usarlas a esas edades.

Comprobarás que **no siempre coinciden las preferencias con las redes sociales que usamos los adultos**, ya que ellos hacen un uso bastante diferente de las mismas, aunque en ocasiones algunos adultos hagan un uso semejante e incluso peor que los propios adolescentes.

Si los adolescentes se caracterizan por algo, es justamente por compartir sus pensamientos e ideas, sus pasatiempos y lo que les acontece en su día a día. Por este motivo las redes sociales que más utilizan son:

1. Instagram

Se trata de la red social preferida por los adolescentes, donde suben fotos y vídeos de poca duración. Pueden encontrar perfiles sobre diferentes temáticas: humor, música, comida, ejercicio físico, etc. Permite compartir fotos de todo lo que nos interesa (desde el desayuno hasta las vacaciones), dejar *likes* y comentarios, y quizás lo más importante para algunos de ellos: **curiosear en las vidas de las «celebridades» que tienen un perfil.**

Es una red social muy variada que permite expresar y buscar consejos de mucha ayuda. El corte juvenil de Instagram se aprecia en las edades de las personas con más *followers* del mundo: Selena Gómez (22 años), Taylor Swift (26), Ariana Grande (25) o Kylie y Kendall Jenner (18 y 20 años), que copan el top 20 con más seguidores en esta red social.*

*   Puedes descargar aquí la «Guía para padres sobre Instagram»: https://www.facebook.com/help/instagram/299484113584685? helpref=hc_fnav

Cinco preguntas que suelen hacerse los padres
sobre Instagram (por «Protégeles en Instagram»)

1. **¿Por qué a tus hijos les gusta tanto Instagram?:** Porque disfrutan del contenido multimedia y les gusta compartirlo con sus amigos a través del móvil, algo que Instagram les permite hacer de un modo visual e intuitivo. Para ellos, los comentarios forman parte de un entramado de conversaciones en distintos medios. Se trata de una forma de relación social, igual que hacer clic en «Me gusta» o compartir enlaces.

2. **¿Cuál es la edad mínima para tener un perfil?:** Las condiciones generales de Instagram establecen los 14 años como edad mínima para usar el servicio. Sin embargo, muchos menores crean una cuenta incluso antes —con frecuencia sin permiso de sus padres— porque Instagram no pregunta a los usuarios qué edad tienen. La seguridad de Instagram depende más de cómo se utilice que de la edad del usuario. Sin embargo, si se avisa a Instagram de que un usuario es menor de 14 años y es posible constatar que así es, se procederá a eliminar la cuenta.

3. **¿Qué riesgos supone utilizar Instagram?:** Instagram no es peligroso de por sí. Lo que preocupa más a los padres son los problemas que podrían surgir en cualquier otra red social (por ejemplo, que alguien sea cruel con personas a quienes conoce o que se publiquen fotos o vídeos inapropiados que atenten contra la reputación de un menor o atraigan una atención indeseada). Otro motivo de inquietud es la posibilidad de que el menor entre en contacto con desconocidos que usen Instagram para acercarse a él. Con esta guía, queremos demostrar que no hay por qué alarmarse y que los menores pueden aprender a controlar estos riesgos.

4. **¿Cómo puede un menor protegerse en Instagram?:** Al igual que en otras redes sociales, la mejor forma de no correr riesgos es respetarse a uno mismo y a los demás. Las fotos y los vídeos que comentamos y publicamos, por graciosos o serios que sean, quedan asociados a nuestra imagen pública y también pueden afectar a otras personas. Para reducir los riesgos, conviene ser lo más respetuosos posible a la hora de compartir, etiquetar y comentar contenidos. La mayoría de los menores lo saben, pero no está de más que los padres se aseguren de que sus hijos no publiquen imágenes provocadoras o tengan un trato inapropiado con desconocidos. Lo que nos lleva a la siguiente pregunta...

5. **¿Es preferible que el perfil de un menor sea privado?:** Para muchos menores, uno de los atractivos de Instagram es conseguir un gran grupo de seguidores. Este es un aspecto importante si decides hablar con tu hijo. Cualquiera puede seguir una cuenta pública, mientras que los propietarios de las cuentas privadas tienen que aprobar primero quién les sigue. Muchos padres dejan que sus hijos empiecen a usar Instagram con una cuenta privada, pero como la gente publica fotos de otras personas, tu hijo podría aparecer igual en Instagram o en otros servicios para compartir fotos. Incluso un menor que no tenga cuenta en Instagram puede acabar apareciendo en imágenes publicadas en la plataforma. Tanto en Instagram como en otros servicios web, el usuario y sus amigos influyen tanto como la propia aplicación en la experiencia del menor, que será más o menos positiva según las circunstancias de cada uno.

2. Twitter

Es la red social de la inmediatez por excelencia. Sus usuarios publican mensajes a través de 280 caracteres con los que expresan sus ideas. Además, pueden adjuntar imágenes, lo que hace que Twitter sea especialmente atractivo. Lo que más llama la atención son los hashtags, usados en todo el mundo y que vuelven interactiva la red social. A veces se usan hasta volverse tendencia (*trending topic*).

¿Cómo ayudar a tus hijos a hacer un uso saludable de esta red social? (por «Empantallados.com»)

- **Enséñales la importancia de gestionar sus emociones en las redes sociales.** La fluidez con la que se transmiten los mensajes en Twitter hace que sea fácil dejar una huella digital más evidente o incluso dañina.

- **Es importante que aprendan a identificar las *fake*** (contenido falso). No tienen que creerse todo lo que leen, ni aunque sea TT (*trending topic*), ni aunque aparezca como un contenido patrocinado o tenga miles de RT (retuits).

- **Deben cuidar lo que dicen y cómo lo dicen.** Twitter es un escenario público.

- **Y, sobre todo, deben aprender la máxima *Think before you post*** («piensa antes de publicarlo»): 280 caracteres pueden hacer mucho daño a alguien, incluso a ellos mismos en el futuro, cuando un tuit se les vuelva en contra a la hora de buscar trabajo, por ejemplo.

3. Snapchat

Snapchat es una de las redes sociales que más ha crecido en los últimos años, muy especialmente entre el público joven. Permite **enviar mensajes en forma de vídeos cortos,** que se pueden editar añadiendo texto o *emojis*, y que solamente pueden visualizarse una vez por la persona que los recibe; posteriormente son borrados del servidor de la *app*. Es decir, es un servicio de mensajería instantánea más creativo que los simples mensajes de texto, y es ahí donde apela la aplicación entre los *teens*. Los estudios recientes en el uso de redes sociales entre usuarios jóvenes suelen situar a Snapchat en el top 3 de las aplicaciones preferidas, independientemente de si también usan Facebook o si prefieren Instagram o Twitter como red social de preferencia.

4. YouTube

¿Sabes quiénes son los *youtubers*? Unos jóvenes de perfiles muy variados que se han hecho un hueco entre la audiencia que los medios de comunicación tradicionales había dejado desatendida: los **adolescentes.** En muchos casos, los *youtubers* pueden llegar a tener grandísimas cifras de seguidores (El Rubius, uno de los más famosos en habla hispana, cuenta con más de 29 millones de suscriptores, más que el propio Andrés Iniesta en Twitter), visitas y por tanto beneficios económicos a través de su canal de vídeo. Los adolescentes suscritos a estos canales esperan a diario la publicación de nuevos contenidos de la misma manera que los adultos esperan que se emita su serie de televisión favorita.

5. WhatsApp

Es la aplicación líder para comunicarse con los amigos, y eso a pesar de que, según los estudios, los adolescentes pueden llegar a tener presencias digitales «compuestas por entre seis y hasta diez perfiles», y son capaces de utilizarlos de diferente manera, cada uno con una finalidad específica. Por eso, aunque se comuniquen con WhatsApp, es también frecuente que utilicen Snapchat aunque sirvan para lo mismo. Alternativas de mensajería instantánea que también podemos encontrar en los teléfonos de los niños son Kik, Telegram, Facebook Messenger y Hangouts, la aplicación de mensajería de Google (muy usada por aquellos niños que todavía no tienen WhatsApp).

Qué deben saber los padres sobre WhatsApp...

Según los expertos, WhatsApp no es apto para menores y destacan una serie de ideas que debemos tener en cuenta:

1. **WhatsApp es una red social.** Según señalan desde Pantallas Amigas, no es un simple servicio de mensajería, como así creen algunos padres. Permite hacer grupos, enviar imágenes, vídeos, links... No está considerada como red social, esto hace que esté sometida a pocas presiones y que su seguridad no sea tan precisa.

2. **La edad.** Como señala Guillermo Cánovas, «según la legislación española, un niño de menos de 14 años no puede autorizar a que alguien obtenga sus datos personales, ni a que se obtengan fotografías suyas. Esto solo puede hacerse con la previa autorización de los padres. Es decir, las autorizaciones que conceden los niños menores de 14 años no son válidas... pero en WhatsApp, sí».

3. **La cuestión de la inmediatez es extremadamente delicada.** «En décimas de segundo, los chavales envían fotos estando borrachos o con gestos sugestivos... Personalmente, creo que es muy fácil que si se actúa con tanta celeridad se equivoquen y no tomen buenas decisiones. A lo mejor tienen suerte tres horas después, cuando se les ha pasado el "calentón", de pensar en las consecuencias de lo que han hecho, pero ya es demasiado tarde.»

4. **¿Qué sucede con toda esa información?** ¿Qué pasa con todos esos mensajes, más o menos privados, que los niños se intercambian entre sí? ¿Qué sucede con las fotografías que se hacen y se envían unos a otros? ¿Alguien puede acceder a ellas? «Pues lo cierto es que no lo sabemos... Una de las principales críticas sobre la seguridad de WhatsApp es, precisamente, el desconocimiento que se tiene sobre si la compañía guarda copias de la información enviada, dónde se alojan y qué nivel de seguridad se aplica a esa información.»

5. **Puede facilitar el acoso.** «Por el mero hecho de que un extraño tenga tu número, tu WhatsApp lo acepta y deja expuesta tu foto de perfil. El acosador, inmediatamente, puede tener demasiada información.»

 Un estudio reciente puso de manifiesto que el 53 % de los padres desconocen que redes sociales como Facebook exigen que sus usuarios tengan más de 13 años. Es preocupante que 1 de cada 5 padres piensen que no es necesario ningún tipo de requisito.*

---

* http://www.nspcc.org.uk/what-we-do/news-opinion/social-media -age-limit/

Limitaciones de edad en las redes sociales

Es importante recordar que **las limitaciones de edad** en internet tienen una razón de ser, como muestra un dato que destaca Elizabeth Kilbey: «Un informe de la Office of National Statistics británica sobre el bienestar infantil determinó que los niños que pasan más de 3 horas los días de colegio navegando por redes sociales están expuestos a una probabilidad más de dos veces mayor de sufrir alteraciones mentales que los que lo hacen durante menos tiempo». Preocupante, ¿no crees?

La Agencia Española de Protección de Datos está especialmente preocupada por la protección de los menores, dado que hay miles de ellos (menores de 14 años) con perfiles en las redes, lo que está prohibido por la legislación española. Por este motivo propone:

- Reclamar fórmulas de comprobación de la edad al darse de alta en las redes.

- No prohibirlas, pero sí advertir a los jóvenes de los riesgos que hay en las redes sociales.

- Comprobar el perfil de los jóvenes para verificar que no ofrecen datos sensibles ni otro tipo de datos que permitan localizarlos.

- Informarles de que no pueden subir fotos o vídeos de terceros sin su consentimiento, ni publicar fotos suyas sensibles.

- Insistir en que no admitan solicitudes de amistad de desconocidos ni establezcan nunca citas presenciales.

Consejo de experto (por Elizabeth Kilbey)

Es frecuente en mi trabajo atender a niños de 6, 7 u 8 años que tienen sus propias cuentas de Facebook e Instagram, siendo por lo demás habitual que la mayoría de los niños que se encuentran en el intervalo superior del período de latencia (10 y 11 años) utilicen algún tipo de redes sociales. Uno de los aspectos más preocupantes en este contexto es que, a través de las redes sociales, se dota de recursos para adolescentes a niños en edad de latencia, esperando de ellos que sepan manejarlos, cuando en realidad no han alcanzado el grado de madurez y desarrollo que solo se alcanza con la adolescencia.

Al final del libro, en el apartado Webs y direcciones de interés encontrarás cómo hacer uso de los «centros de seguridad» de las principales redes sociales, así como la dirección donde puedes consultar los vídeos explicativos de la Agencia Española de Protección de Datos y de la Oficina de Seguridad del Internauta (OSI), donde podrás obtener información detallada sobre las configuraciones de privacidad de cada aplicación.

Redes sociales y estudios

La exposición a las redes sociales también afecta a la educación. La propia Kilbey afirma que «en una encuesta se estableció que, según el personal docente, los niños con peores notas eran los que dedicaban más tiempo a las redes sociales. La mitad de los 500 profesores entrevistados afirmaba que la fijación inherente al acceso a dichas redes sociales afectaba a la concentración de los niños y dos tercios de ellos consideraban que la calidad de sus trabajos para casa se resentía por la prisa por terminarlos para comunicarse con los amigos en la red».

Esto es consecuencia de la *hiperconexión* a la que estamos sometidos. Estar constantemente pendientes del móvil para ver si nos ha llegado una notificación, sentirnos intranquilos por no tener wifi en nuestro lugar de vacaciones, etc., son dinámicas cada vez más extendidas que generan malestar y estrés en niños y adultos.

De hecho, existe un término que se ha establecido para este tipo de situaciones cuando son extremas. Se trata del término FOMO (del inglés *Fear of Missing Out,* o lo que es lo mismo, «miedo a perderse algo»). Es la ansiedad que muestra una persona por estar preocupada por perderse lo que está sucediendo en sus grupos de WhatsApp, Facebook, etc.

Además, algo a tener muy en cuenta es que las redes sociales **han modificado nuestro cerebro.** Así lo afirman los expertos. Según se desprende de una nota de prensa[*] de la compañía biomédica Pfizer, el uso de las redes sociales tiene efectos tanto positivos como negativos sobre el cerebro. El desarrollo de nuevas conexiones neuronales y la creación de nuevos métodos de aprendizaje son algunas de sus ventajas, mientras que la adicción que pueden provocar es su mayor inconveniente.

Como muy bien señalan Pilar Guembe y Carlos Goñi, podemos y debemos contrarrestar el influjo de las redes sociales para que no moldeen el cerebro a su manera. Para ello nos dan una serie de recomendaciones:

- No adelantar la edad de acceso a las redes sociales para darle tiempo al cerebro a configurarse de manera natural.

- Despegar a nuestros hijos de las pantallas, fomentando el deporte, las salidas, los juegos, las visitas, las conversaciones...

- Enseñarles que un «te quiero» vale más que mil «me gusta».

- Poner, ponernos, límites al uso de pantallas y a las compras por internet.

- Reintroducir los juegos de mesa (ajedrez, puzles, dominó, cartas, parchís...) que favorecen la atención, la calma, saber esperar el turno, la cooperación, el control postural...

---

[*] https://www.pfizer.es/noticia/redes_sociales_ya_han_modificado_nuestro_cerebro.html

- Acostumbrarles a no usar emoticonos, sino a expresar los sentimientos con palabras, mejor dichas que escritas.

- Contagiarles la pasión por la lectura. En ella se concentra la atención y se ejercita la memoria.

 La American Academy of Pediatrics ya ha advertido a los padres sobre la existencia de un cuadro al que llaman de «depresión por Facebook», que experimentan niños y adolescentes cuando ven una notificación de actualización, una publicación en el muro de Facebook o una foto que les hace sentirse impopulares.

Normas para un buen uso de las redes sociales

Lo primero que debemos tener claro es que las redes sociales son medios destinados de manera específica a los adultos. Por este motivo ni son adecuadas ni están adaptadas para los niños o preadolescentes. La gran mayoría de las plataformas tienen limitaciones de edad que **deben respetarse siempre.** Veamos algunas normas que ayudarán a hacer un buen uso de las redes sociales:

- Si quieres que tu hijo tenga acceso a algún tipo de red social, debes realizar una supervisión de la misma. Para ello hemos de conocer las redes a las que pertenece nuestro hijo, así como sus condiciones de uso y su política de privacidad.

- Ayúdale a registrarse y realizar el perfil explicándole los datos que no deben ponerse y el motivo. Configura con él la privacidad de los contenidos. Usa perfiles privados.

- Comenta con él las aplicaciones que desea utilizar. Pruébalas con él y si no estás de acuerdo en que use alguna, explícale con claridad los motivos.

- Procura que tu comportamiento en las redes sociales le sirva como ejemplo.

- Establece un horario de uso.

- Habla con tu hijo. Establece una normas de uso acordándolas con él; ello hará que se sienta más implicado en la toma de decisiones.

- No añadir a la red a personas desconocidas.

- Evita indicar datos personales: dirección, colegio, teléfono...

- Utilizar seudónimo en lugar de nombre real cuando se crea un perfil.

- Tratar a los demás con respeto y sin mentiras: trata a los demás como te gustaría que te tratasen a ti.

- No están permitidos ni los insultos ni la invasión a la intimidad de otras personas.

- No instalar aplicaciones en el móvil sin el consentimiento nuestro.

- Si recibe un mensaje molesto, debe enseñarlo a padres o profesores y no contestar.

- Si recibe imágenes o vídeos de una agresión, debe ponerlo en conocimiento de padres o profesores.

- No enviar fotografías de terceros que les haga sentir mal por su carácter vejatorio o comprometedor.

¿Qué hacemos entonces con las redes sociales?

Desde mi perspectiva y experiencia, tanto personal como profesional, considero que un menor que no cumple las condiciones de edad de acceso legal a las redes sociales no necesita estar presente en las mismas. Como ya he destacado antes, **las limitaciones de edad en internet tienen una razón de ser.**

Pero no basta con que limitemos o prohibamos el acceso. Es necesario un trabajo previo cuando nuestros hijos son pequeños manteniendo con ellos una comunicación fluida sobre su presencia en las redes sociales y el uso de las mismas en un lenguaje adaptado a su edad.

Es necesario que **les dejemos claro desde un principio** la edad que consideramos apropiada para que puedan tener sus propias cuentas en redes sociales. Siempre es mejor negociar y llegar a algún acuerdo de manera anticipada que limitar o prohibir su uso cuando ya han accedido a las mismas.

Cuando son pequeños, evidentemente debemos prohibir y restringir su uso, pero siempre preparándolos, educándolos y hablándoles sobre los motivos por los que lo hacemos y **ayudándoles a adquirir las herramientas necesarias para cuando las utilicen en un futuro** próximo. Se trata de un trabajo de **preparación y prevención.**

Supervisar, no espiar

E sto ha de quedar claro. Nuestra función no es la de espiar, sino la de **supervisar**, que no es lo mismo. Como destaca Susana Quadrado en su interesante artículo «¿Espiarías a tu hijo?»*:

«Hay una importante discusión moral en este asunto, y en parte recorre el espinoso y conocido trecho que va de la libertad a la seguridad, del control a la fiscalización, de la responsabilidad a la vulneración de la intimidad de los hijos. ¿Tú les espiarías? A lo mejor no he caído todavía del guindo, pero mi respuesta es no. No, si no existe una sospecha clara de que algo no va bien. Ante los tres dilemas, escojo la libertad, el control y la responsabilidad. La fiscalización por vía remota ofrece una falsa seguridad.

No me gusta una sociedad convertida en un Gran Hermano, donde las criaturas que has parido están bajo sospecha. Rastrear su móvil no es como fisgar en su cajón o en su mochila. Es fisgar su vida entera.

Me gusta pensar que, si hay un problema, tus hijos acudirán a ti. Que serán sinceros. Si tienes que llegar al extremo de espiarles, quizá es que algo falla.

No me gusta que los padres sobrevuelen las vidas de sus vástagos como helicópteros de la policía. La sobreprotección infantiliza, hay que dejarles crecer.

Me gusta la palabra confianza. Casa bien con otra, en plural: límites.

No me gusta que el móvil me haga, a veces, invisible estando con mis hijas.

Me gusta que solo sea a veces y que el casi siempre sirva para conversar, reír, pelearnos o estar juntas aun sin decirnos nada».

Ahí tenemos la clave: en la **confianza y la comunicación** con nuestros hijos, algo que debemos educar desde los primeros años y más allá de las nuevas tecnologías...

---

* https://www.lavanguardia.com/vida/20161015/411013991899/espiarias
-a-tu-hijo.html

Teléfonos móviles y tabletas

E s un tema en el que los padres nos sentimos bastante desorientados y perdidos. No sabemos qué hacer ni de qué forma actuar. Todo son interrogantes: ¿cuándo le compro el dichoso teléfono? ¿A qué edad deberían empezar a usarlo? ¿Cómo puedo ayudarle para que haga un buen uso? Vamos a despejar todas las dudas en este apartado.

Los estudios e investigaciones recientes nos indican que los niños suelen tener el primer móvil entre los 9 y los 12 años. Puedo corroborar este dato a través de mi experiencia, pues observo a diario que el móvil se ha convertido en el regalo estrella cuando van a sexto de primaria. A veces antes. Como puedes comprobar, estamos iniciando a nuestros hijos en el uso del móvil a edades muy tempranas sin tener ninguna necesidad ni la madurez para hacer un buen uso del mismo. Nosotros, los adultos, **les estamos creando esa necesidad.**

Compramos el teléfono con la justificación de que es para tenerlos localizados, pero ellos no tienen el mismo concepto y el uso que le dan al móvil es bastante distinto al del motivo por el que se lo hemos comprado. Además, en muchas ocasiones el único control que tenemos sobre el teléfono es el referido al gasto, desconociendo por completo lo que pueden llegar a hacer nuestros hijos con un móvil en el bolsillo.

No sé hasta qué punto muchos padres somos conscientes de lo que hacemos al poner un smartphone en manos de un niño de 9 años o incluso más pequeño. Porque los niños ya no se conforman con un simple teléfono que emita y reciba llamadas, sino que quieren un móvil de última generación con cámara de fotos y vídeo, juegos, aplicaciones, música, acceso a internet... ¡Cuántas veces he escuchado eso de: «Papá, quiero que me compres un iPhone»!

Estamos poniendo un ordenador en el bolsillo de nuestro hijo con el peligro que ello supone, ya que pueden acceder a internet desde cualquier lugar (si no tienen tarifa de datos, ya se encargarán de buscar un punto de acceso wifi para poder hacerlo).

Educar con nuestro ejemplo

L a evolución permanente de los teléfonos móviles nos obliga a estar actualizados continuamente. Los padres debemos conocer las funcionalidades de los móviles actuales y el uso que los niños les dan.

Debemos educar en el buen uso de los teléfonos móviles. Para ello acordaremos unas normas de uso que nos ayuden a evitar el máximo de riesgos. Es muy importante que los padres eduquemos también con nuestro ejemplo. No podemos decir al niño que mientras se come no puede estar conectado al WhatsApp y nosotros estar haciéndolo en cada comida: transmitamos **coherencia en nuestro mensaje**.

Estas normas que establezcamos deben incluir:

- **Tiempo de exposición.**

- **Momentos de uso.**

- **Fijar una hora de desconexión del teléfono por la noche.**

Cuando encendemos el móvil, apagamos la calle.
ZYGMUNT BAUMAN

 ¡A tener en cuenta en verano!

Los socorristas alemanes han advertido que el incremento de niños ahogados en verano está relacionado con la obsesión de los padres con el teléfono móvil. La asociación de socorristas alemanes (Dlrg), la mayor organización a nivel mundial de este tipo, con 40.000 voluntarios para vigilar playas, lagos y costas alemanas, emitió un comunicado en el que relacionaba directamente los ahogamientos de los niños con la atención de sus padres a los móviles. **Recuerda: «Cuando tu hijo esté en el agua, olvídate del móvil».**

Pautas para un uso responsable y seguro del móvil

A los padres

- Tenemos que comprarles el móvil adecuado a su edad y grado de madurez, teniendo en cuenta también su entorno de amistades. No hay que ceder a la presión del grupo.
- Debemos dejar muy claro a nuestros hijos lo que pueden hacer y lo que no pueden hacer con el móvil.
- No hay que utilizar el móvil como castigo o recompensa.
- Si el teléfono es de contrato, se deben controlar las llamadas y el consumo, y compartir esta información con los hijos para que sean conscientes del coste.

A los hijos

- No deben responder llamadas con número oculto.
- No deben facilitar su número a extraños (tampoco el número de sus amigos).
- No deben guardar datos personales en el móvil.
- No deben compartir imágenes que les envían sus amigos con terceros, sobre todo si son de carácter personal o íntimo.
- Si son víctimas de ciberbullying, deben guardar los mensajes de texto y e-mail.
- Si reciben imágenes pornográficas o con agresiones, tienen que entregarlas a los adultos (sus padres o profesores).

¿Cuándo comprar el primer móvil?

Tu hijo acaba de cumplir 9 años. Prepárate, porque lo más seguro es no tarde en decir: «**Mamá, papá: quiero un móvil**». Entonces, el «pánico» se apodera de nosotros...

«No», es la primera respuesta. «¿Por qué no? Si todos mis amigos tienen móvil», contesta el menor. Empieza entonces una «**batalla**» que los progenitores alargarán todo lo que puedan en el tiempo sabiendo que no ganarán... ¿O sí?

Estamos dejando el teléfono móvil en manos de nuestros hijos excesivamente pronto. En un estudio que ha realizado Mobile Phone Checker, una encuesta dirigida a 23.000 personas, una de las conclusiones destacadas es que los niños reciben su primer teléfono móvil a los siete años de edad. Personalmente me parece un auténtico disparate. Les estamos creando una «necesidad innecesaria». Estamos acabando con la infancia y creando necesidades inútiles, adelantando y quemando etapas a una velocidad de vértigo. ¿Para qué necesita un niño de siete años un teléfono móvil?

¿Por qué los padres compran móviles a los niños a tan temprana edad? Según el citado estudio, «tres cuartas partes de ellos aseguraron que era por razones de seguridad, para estar más tranquilos». La verdad es que me sorprende que la tranquilidad y la seguridad vengan dadas porque nuestro hijo tenga un móvil en el bolsillo, no lo acabo de entender... Además, si es para estar en comunicación, es decir, para tenerlos controlados, siempre les digo lo mismo a los padres: ellos saben muy bien qué hacer para eludir ese control.

Otro de los aspectos que me llama mucho la atención del estudio es que destaca que «un 22 % de los padres les compraron el teléfono porque sus compañeros de clase también lo tenían». Como vemos, la presión del grupo es muy fuerte y muchos padres acaban consintiendo la compra del aparato, simplemente, para que su hijo no sea el único que no lo tenga. No creo que sea la forma más acertada de proceder. **Debemos establecer y mantener nuestro criterio y decisión sobre el tema como padres sin dejarnos influir por la opinión de otras familias y amigos de nuestros hijos.**

El estudio revela, además, que la precocidad a la hora de recibir el primer móvil no es lo único que ha cambiado, sino también la moda y la facilidad por conseguirlo. Los niños de hoy no se conforman con cualquier teléfono, quieren un smartphone de última generación.

Nos queda mucho trabajo por hacer para evitar que las modas y el consumismo voraz arrastren a nuestros hijos a hacer uso de estos aparatos sin ningún tipo de preparación.

Insisto, es nuestra responsabilidad como padres dar ejemplo y educar en un uso responsable del teléfono. Además, **debemos retrasar al máximo la compra del mismo,** pues a un niño de 7-8 años no le hace ninguna falta un teléfono móvil. A partir de los 14 ya cambia la situación...

Razones por las que no deberías regalarle un móvil por su primera comunión (por Jorge Flores, «Pantallas Amigas»)

Regalarle un móvil en su primera comunión supone que:

- Al niño se le transmite que debe asumir una responsabilidad respecto a otras personas a las que puede ocasionar daño si manda fotos indebidas, realiza comentarios inadecuados...

- Se presupone que debe cumplir con una serie de obligaciones. Los hijos deben aceptar que sus padres entren en el terreno de su «privacidad» y supervisen el terminal cuando consideren para leer los contenidos y ver con quién se mensajea, o para que no entren virus.

- Los padres deben saber que aunque se le haya avisado con anterioridad, se encontrarán con dificultades cada vez que quieran acceder de forma consentida y ética a su terminal. Las discusiones están aseguradas.

- Que tenga un móvil a edad temprana implica que se le está facilitando el acceso a determinados hábitos y comportamientos que habrá que combatir, como es un uso abusivo. Aunque se le haya puesto límites y especificado qué días y el tiempo que puede usar su móvil, cuando un niño se conecta a un juego o entra en las redes sociales, el tiempo se le pasa muy rápido, por lo que hay que ser consciente de que será un asunto de conflicto porque siempre querrá estar más.

- Que utilice el móvil con frecuencia provocará que deje de aprender otras cosas, que reste tiempo a otro tipo de ocio más creativo y educativo, y a la realización de actividades físicas y deportivas, e incluso que reduzca su comunicación cara a cara con otros niños de su edad.

Normas y límites con los dispositivos digitales

Recordemos brevemente aquí lo que he mencionado en los otros libros de la colección a cerca de las normas y los límites: son necesarios y aportan orientación y seguridad a nuestros hijos.

Las normas son pautas o reglas que establecemos los padres y que ayudan a nuestros hijos a funcionar en la vida y a distinguir lo que está bien de lo que está mal, lo que es peligroso y lo que no lo es. Y, aunque parezca contradictorio, las normas les ayudan a moverse con mayor libertad y sobre todo seguridad.

Es a los padres a quienes corresponde establecer estas normas, pero sin caer en el exceso (normativismo) ni en el defecto (permisividad). Los autores Pilar Guembe y Carlos Goñi destacan un principio básico que personalmente recomiendo: «Normas justas y las justas». Veamos el motivo:

1. **Deben ser justas.** Porque no se trata de imponer porque sí, sino de establecer unas reglas que les ayuden a crecer y desarrollarse de una manera integral.

2. **Las justas.** Más vale que pongamos pocas normas y que se cumplan, que un exceso de normas que no se cumplen porque es imposible hacerlo. Seamos realistas a la hora de ponerlas.

Además, muy importante: debemos ir adaptando las normas a la edad y periodo evolutivo del niño. Algunas se mantendrán pero otras irán cambiando. Algunas serán innegociables pero otras se podrán negociar y consensuar con nuestros hijos (sobre todo en determinadas etapas).

Así pues, somos los padres quienes establecemos estas normas y estos límites porque **son necesarios para el buen funcionamiento del hogar,** y los hemos de aplicar desde que son pequeños no solo con la tecnología.

Por este motivo, antes de que cualquier dispositivo digital entre en casa, los padres debemos preguntarnos: ¿Cuál es nuestro plan? Como señala Elizabeth Kilbey, «piensa en las reglas que debes establecer en relación con el tiempo de pantalla. ¿Se va a permitir el uso del dispositivo en la mesa a la hora de comer o cenar? ¿Es permisible su utilización cuando los niños están en la cama?». Es algo que no podemos improvisar y que debemos tener (y dejar) muy claro antes de comprar el aparato digital.

Algo importante a tener en cuenta es que «no hay una respuesta correcta o incorrecta tajante para este tipo de preguntas». Así pues, los padres debemos pensar en ellas, valorarlas y decidir qué normas y reglas son las que mejor se ajustan a la familia y asegurarnos de que estas reglas se cumplen.

De hecho, la American Academy of Pediatrics (AAP) recomienda elaborar un plan de consumo mediático para la familia:

«El consumo mediático debe hacerse de acuerdo con los valores y el estilo de crianza de la familia. Cuando el consumo mediático se hace reflexivamente y de forma adecuada, puede mejorar la vida diaria. Pero cuando se hace sin pensarlo mucho y de forma inadecuada, puede reemplazar actividades importantes, tales como la interacción o las relaciones personales, el tiempo para la familia, el juego al aire libe, el ejercicio y el tiempo de inactividad para estar desconectado y para dormir.

Cuando tú creas un plan de consumo mediático individualizado para tu familia, puedes darte cuenta de cómo esta consume los medios digitales y así lograr sus objetivos. Esto requiere que los padres y los que consumen el contenido mediático decidan cuáles son los objetivos que quieren lograr».

La propia AAP pone a tu disposición una herramienta en la web que te ayudará a elaborar ese plan de consumo mediático[*].

Por eso es tan importante que los padres conozcamos el funcionamiento del dispositivo que vamos a poner en manos de nuestros hijos antes de hacerlo. Existen casos de padres que compraron a los suyos lectores electrónicos y iPods sin saber que los niños podían acceder a internet (y por tanto a contenidos inapropiados) por medio de los mismos.

Te dejo aquí algunos ejemplos de normas de uso:

- El móvil tiene un horario de uso. No se utilizará después de la hora de ir a dormir.

- Los padres nos quedaremos con el móvil durante las horas de sueño y mientras hacen sus tareas escolares. Y si lo consideramos oportuno, también durante las comidas.

- Si los niños reciben mensajes o llamadas molestas o amenazantes, deberán avisar de manera inmediata a los padres.

- Deben aplicar el principio de «No hagas a los demás lo que no quieres que te hagan a ti». Jamás deben utilizar el móvil para atacar, humillar o chantajear a nadie a través de cualquier red social.

- Los padres gestionaremos las aplicaciones, las descargas, etc. (esto debe quedar claro ya que usar un smartphone supone sumergirlos en un mundo de adultos para el que todavía no están preparados).

---

[*]   https://www.healthychildren.org/spanish/media/Paginas/default.aspx#wizard

Comparto a continuación y a modo de ejemplo el contrato que Janell Burley Hofmann propuso a su hijo para comprarle un iPhone. Janell es escritora e impulsa un movimiento que **pretende educar en el uso responsable de las nuevas tecnologías en la familia**. Amante de la vida y de sus hijos, tiene un blog y es colaboradora habitual de *The Huffington Post* y de otros medios estadounidenses.

En sus artículos y posts, Janell expone sus reflexiones y los métodos educativos que aplica a sus propios hijos. En uno de ellos explica cómo su hijo mayor Gregory (de 13 años) llevaba suplicando casi un año por tener un iPhone. Consciente de que el uso de esta herramienta tecnológica exige responsabilidad y que existen unos riesgos, **exigió a su hijo firmar un contrato* para tener su preciado iPhone.** Se lo regaló por Navidad porque se lo merecía, cuenta la madre en su blog, pero a cambio, estas fueron **las 18 reglas** que Gregory tenía que cumplir; unas normas que, pensó, también le servirán para la vida:

1. Es mi teléfono. Yo lo compré. Yo lo pagué. Yo te lo presto. ¿A que soy genial?
2. Yo siempre sabré la contraseña.
3. Si suena, cógelo. Di «hola». Sé educado. Coge siempre, siempre, la llamada de mamá y papá.
4. Entregarás el teléfono a mamá o a papá a las 7:30 de la mañana cada día de colegio y a las 9:00 de la tarde durante el fin de semana. Estará apagado toda la noche y se volverá a encender a las 7:30 de la mañana. Si no llamarías al teléfono fijo de alguien porque pueden responder sus padres, tampoco llames o envíes mensajes al móvil. Respeta a las otras familias como nos gusta que nos respeten a nosotros.

---

*   http://www.janellburleyhofmann.com/the-contract

5. No te llevarás el iPhone al colegio. Conversa y habla con la gente y con tus amigos en persona. Los días de media jornada, las excursiones y las actividades extraescolares requerirán consideraciones especiales.

6. Si el iPhone se cae, se golpea o se estropea, eres el responsable. Por tanto, asumirás los costes de la sustitución o de la reparación. Para ello ahorra dinero de tu cumpleaños o haz otros trabajos: corta el césped, haz de canguro... Si se rompe, tendrás que estar preparado.

7. No uses el iPhone para mentir, hacer tonterías o engañar a otro ser humano. No te involucres en conversaciones que sean dañinas para los demás. Sé un buen amigo.

8. No envíes mensajes ni correos electrónicos, ni digas nada a través del iPhone que no dirías en persona.

9. No envíes mensajes ni correos electrónicos, ni digas a alguien algo que no le dirías en voz alta y en presencia de sus padres. Autocensúrate.

10. Nada de pornografía. Busca en la web información que compartirías abiertamente conmigo. Si tienes alguna duda sobre algo, pregunta a una persona. Preferiblemente, a tu padre o a mí.

11. Apágalo o siléncialo cuando te encuentres en lugares públicos. Especialmente en restaurantes, en el cine o mientras hablas con otro ser humano. No eres una persona maleducada, no dejes que el iPhone cambie eso.

12. No envíes ni recibas imágenes íntimas tuyas ni de otras personas. No te rías. Algún día estarás tentado de hacerlo, a pesar de tu gran inteligencia. Es arriesgado y puede arruinar tu vida de adolescente, joven y adulto. Es siempre una mala idea. El ciberespacio es más poderoso que tú. Y es difícil hacer que algo de esa magnitud desaparezca, incluyendo una mala reputación.

13. No hagas millones de fotos o vídeos. No hay necesidad de documentar todo. Vive tus experiencias. Quedarán almacenas en tu memoria para toda la eternidad.

14. A veces conviene dejar el iPhone en casa. Siéntete seguro de esa decisión. No es un ser vivo ni una ninguna extensión de tu cuerpo. Aprende a vivir sin él. Tienes que vencer el miedo a perderte algo que está ocurriendo y a estar siempre conectado.

15. Bájate música que sea nueva o clásica o diferente de la que millones de chicos como tú escuchan, que es siempre lo mismo. Tu generación tiene un acceso a la música mayor que cualquier otra de la historia. Aprovecha ese don. Expande tus horizontes.

16. De vez en cuando puedes jugar a juegos de palabras, puzzles y rompecabezas.

17. Mantén tus ojos abiertos. Observa el mundo que te rodea. Mira por la ventana. Escucha los pájaros. Date un paseo. Habla con un desconocido. Pregúntate si es necesario buscar en Google.

18. Meterás la pata. Te quitaré el teléfono. Nos sentaremos y hablaremos sobre ello. Volveremos a empezar. Tú y yo siempre estamos aprendiendo. Somos un equipo. Estamos juntos en esto.

Espero que pueda aceptar estos términos. La mayoría de las lecciones enumeradas aquí no solo se aplican al iPhone, sino a la vida. Estás creciendo en un mundo rápido y cambiante. Es emocionante y tentador. Mantenlo simple cada vez que puedas. Confía en tu poderosa mente y corazón gigante por encima de cualquier máquina. Te quiero. Espero que disfrutes tu nuevo iPhone increíble. ¡Feliz Navidad!

Besos,

Mamá

A continuación comparto la propuesta de la Policía Nacional para establecer normas y límites en el uso del móvil. Se trata del contrato para que padres e hijos menores de 13 años establezcan por escrito unas normas para un uso responsable del teléfono móvil.

Esta es una propuesta del Grupo de Redes Sociales de la Policía Nacional para que padres de hijos menores de 13 años fijen con ellos por escrito unas normas de buen (seguro, privado, respetuoso) uso de su móvil, tableta, ordenador o dispositivo conectado a internet, a pactar entre todos cuando se vaya a comprar o estrenar un nuevo gadget para el chico. **Estas normas, pactadas de común acuerdo, se relajarán o cancelarán con mayor edad.**

1. Los padres y el menor harán la compra conjuntamente, de forma racional, evitarán ser víctimas del fraude ni comprar posible material robado. Guardarán la garantía, factura del móvil o aparato electrónico a comprar y cualquier dato de interés (como el PUK o IMEI), así como los accesorios que incluya, por si luego hicieran falta.

2. [...] empezará a usar el nuevo terminal con alguno de los padres y lo configurarán conjuntamente, además de hacer la instalación de apps y/o programas o juegos, tratando de tener las que se vayan a usar o pueden ser útiles, no más. Ambas partes conocerán qué utilidades y riesgos tienen cada una, para así evitar sorpresas.

3. Si el nuevo propietario del gadget es aún pequeño, se instalarán filtros parentales, de común acuerdo. En cualquier caso, instalará antivirus [...] y siempre se tendrá cuidado al abrir links extraños o instalar programas o archivos de fuentes no fiables, para evitar que le cuelen malware. Padres y el nuevo usuario instalarán apps rastreadoras de móvil y tableta y que permitan gestionar y recuperar su contenido en caso de extravío; parches, tiritas o mero celo para tapar la webcam y así prevenir el uso ajeno de la webcam en ordenadores y portátiles...

4. El nuevo usuario se compromete ante sus padres desde un principio a usar el móvil cumpliendo siempre las normas legales y las normas del centro escolar (si lo permite), así como de cualquier otro recinto o entidad que las marque en su tiempo libre.

5. El nuevo usuario se compromete a también a cumplir desde el principio unas normas de uso responsable, inteligente y respetuoso/educado hacia los demás en casa. El nuevo usuario demostrará que es lo bastante mayor como para respetar el horario, espacios y momentos en los que se puede utilizar el nuevo aparato (posible acceso a él en la mesa o no, ruidos en

espacios comunes, distracción con él en ocasiones especiales escolares o familiares, normas de educación y saber estar...).

6. El nuevo usuario asume que, hasta que no sea un poco más mayor, sus padres o mayores de confianza conocerán siempre los códigos de acceso y contraseñas de su nuevo gadget y de mail, páginas, juegos, fotos y vídeos, apps... para su posible supervisión en seguridad, privacidad e imagen adecuada y respetuosa del contenido y acciones que este realiza. Además, el nuevo usuario de gadgets y ordenadores los utilizará en espacios comunes o fácilmente accesibles a los adultos.

7. Los padres se comprometen a no leer o supervisar más que la estricta comprobación, respetar la intimidad del nuevo usuario con sus amigos **reales** y entender que tiene su propio espacio para hablar de sus temas con sus contactos, siempre que se respeten las normas y a los demás.

8. El nuevo usuario y sus padres entenderán que este acompañamiento y control inicial se irá relajando según este vaya creciendo y mostrando su responsabilidad y prudencia en el buen uso de la tecnología e internet. A cada edad le corresponde una seguridad.

9. Las redes sociales (Facebook, Twitter, Instagram...), como otras plataformas online, tienen una edad mínima (13 o 14) por algo: o te esperas a tenerla o deberías compartir ese perfil con alguno de tus padres.

10. En sus relaciones online (redes sociales, webs, foros, juegos en red...), el nuevo usuario no agregará a nadie que no conozca en su vida real... Desconfiará de todo lo que le cuenten y evitará facilitar datos personales a cualquiera.

11. En caso de tener problemas, dudas o ser acosado por cualquiera a través de internet, el usuario se lo dirá a sus padres, para

buscar una solución a la situación. Si fuera en el ámbito escolar, se hablará con los responsables docentes. Y si fuera una situación grave, los padres podrán consultarlo o denunciarlo ante la Policía.

12. El nuevo usuario del móvil se compromete a no tomar ni compartir ninguna foto íntima o que a sus familiares no le fuera a parecer apropiada [...] En caso de que le llegue alguna ofensiva o dañina para alguien, la borrará y exigirá que no se reenvíe.

13. El nuevo usuario dejará por las noches cargando el móvil, tableta y demás aparatos en una zona común de la casa y no se los llevará a la cama.

14. El nuevo usuario se compromete a no utilizar internet o móvil para acosar, humillar, ofender o molestar a ningún compañero de clase, vecino o conocido. Y no será cómplice de esas acciones de ciberacoso, ni por reenviar ni con su silencio: pedirá a sus contactos ese mismo respeto para todos.

15. El nuevo usuario evitará compartir material ofensivo, contra la intimidad o inapropiado en los grupos de WhatsApp: si es mayor para usarlo, también para respetar a la gente.

16. El nuevo usuario conocerá cómo funciona, qué riesgos y qué condiciones de uso tiene cada app, juego, programa y posibles costes añadidos, para evitar sorpresas.

17. El nuevo usuario ha leído detenidamente este manual de uso/acuerdo con los padres y entiende todas las responsabilidades que conlleva, no solo las ventajas. Al firmarlo, las asume y se compromete a cumplirlas.

18. El nuevo usuario atenderá siempre las llamadas de sus padres para saber que está bien.

19. El nuevo usuario será el que domine la tecnología **y no al revés:** evitará adicciones y la conexión permanente o adictiva a un chat, foro, juego... ¡Conéctate a la vida real!

20. La utilidad, respeto y uso inteligente, legal, responsable, seguro, privado y racional de la tecnología priorizarán cualquier decisión respecto al nuevo gadget **¡Disfrútalo!**

Firmado:

...   ...

El padre, la madre o ambos   El nuevo usuario

A continuación, trataremos un nuevo concepto: **la mediación parental.** Así lo señalan desde is4K (internet Segura For Kids). En general, hablar de mediación parental es hablar de dos tipos de estrategias, que son complementarias y deben ponerse en práctica simultáneamente:

- **Mediación activa: supervisión, acompañamiento y orientación.** Supone una implicación de los adultos, antes, durante y después de que los menores utilicen las tecnologías digitales. Dar ejemplo al utilizar las nuevas tecnologías, hablarles sobre los riesgos reales de internet e interesarnos sobre su comportamiento online son actitudes educativas que requieren ser parte activa de su desarrollo.

- **Mediación restrictiva: establecer reglas y límites.** Para que los menores aprendan progresivamente a navegar con seguridad, sin la compañía de un adulto, es necesario establecer unas normas que irán adaptándose a su edad y madurez. A la hora de poner en práctica estas normas, pueden ser de ayuda las herramientas de control parental, las cuentas de usuario limitado para los menores y las aplicaciones diseñadas específicamente para ellos, como los buscadores infantiles.

La principal herramienta con la que contamos en la mediación parental es la comunicación. Hacer que la tecnología, internet y sus riesgos formen parte de las conversaciones familiares está en nuestras manos, y será nuestro mejor instrumento para trasladar al menor mensajes positivos sobre el uso responsable, como también será fundamental a la hora de detectar problemas y reaccionar a tiempo.

- **Disponibilidad.** Para construir una relación de confianza, el menor debe saber que los adultos siempre estarán a su disposición para resolver cualquier problema que pueda encontrar o las dudas que le puedan surgir. Evitar reacciones exageradas o culpabilizarle generará más confianza.

- **Fomentar las habilidades sociales y el pensamiento crítico.** Un aspecto clave en la comunicación con los menores es la interiorización de un espíritu crítico que les ayude a sopesar todas sus actuaciones y decisiones. La autoestima, la asertividad y la empatía son habilidades sociales positivas que le ayudarán a enfrentarse de manera adecuada a los conflictos.

- **Supervisión y diálogo.** La supervisión de su actividad en internet no implica el uso de «técnicas de espionaje»: el menor puede compartir con nosotros su experiencia en internet si fomentamos el diálogo y la confianza. Si optamos por el uso de herramientas de control parental, entendiéndolas como un complemento a nuestra labor educativa y comunicativa, conviene hablar con el menor de la instalación de estas herramientas y las razones de utilizarlas.

- **La comunicación en la adolescencia.** Hay edades y etapas en las que el diálogo y la comunicación pueden verse resentidos, pero si existe un clima de confianza en la familia, el menor sabrá que puede acudir a sus padres o a otra persona de confianza en busca de ayuda si hay problemas, sin temer las posibles represalias.

- **Escuchar y orientar.** La comunicación es un canal que debe mantenerse abierto en las dos direcciones; por ello es necesario escuchar al menor, saber lo que piensa, lo que hace y cómo se relacionan en internet. Para escuchar es necesario no prejuzgar y centrarse en las actitudes que se considera necesario mejorar.

De los juegos a los videojuegos

El videojuego es uno de los entretenimientos predilectos de los niños, que juegan no solo a través de las videoconsolas y ordenadores, sino también desde los móviles o tabletas. Además, muchos de estos videojuegos se juegan online. La edad de mayor uso está en torno a los 11-14 años. Veamos algunos efectos negativos de los videojuegos en vuestros hijos:

- Disminución de la actividad física y aumento del sedentarismo.
- Aislamiento social.
- Estados de ansiedad e, incluso, depresión.
- Dolor muscular, vista cansada, dolores de cabeza…

La gran preocupación de los padres con respecto a los videojuegos es **la adicción o abuso**, ya que les quitan tiempo de otras actividades como estudiar, leer, estar con la familia o con amigos… Además, muchos de estos juegos se realizan «en línea» y mantienen contacto con desconocidos con los que juegan, de los que desconocen su edad y procedencia.

 La adicción a los videojuegos, ¿cuándo supone un problema? Te recomiendo la visualización del siguiente vídeo. En esta entrevista, el Dr. Daniel Rama nos explica algunos conceptos en torno a las adicciones para que podamos valorar cómo acompañar y ayudar a nuestros hijos en este contexto.*

---

* https://www.YouTube.com/watch?time_continue=7&v=8NfPal2zSzk

Dos recomendaciones a tener en cuenta:

- Procura que juegue en un espacio común. De este modo puedes supervisar a qué juega y con quién juega.

- Establece un horario pactado para usar la videoconsola, no cuando tiene un momento libre.

Me gusta una idea que destaca Santiago Moll en su libro *Empantallados**:

«Comprad la consola no para vuestros hijos, sino para toda la familia. Así la consola no se concibe como una propiedad exclusiva de vuestros hijos, sino de todos los miembros de la familia».

Aquí tengo que señalar que hay familias donde se compra la videoconsola no porque la pida el niño sino porque el papá o la mamá tienen más interés que los propios hijos en la misma. Si es tu caso, te debería llevar a una profunda reflexión. Algunos de los síntomas para detectar si tu hijo está enganchado a la videoconsola son:

- Sufre si está fuera porque quiere volver para jugar a la consola.

- Evita ir a casa de amigos que no tengan la «Play».

- Prefiere estar con la consola que salir por ahí a hacer otras actividades.

---

* Moll, S., *Empantallados. Cómo convivir con hijos digitales,* Larousse, 2017

- Está al día de todo lo que ocurre en el mundo de las consolas.

- De regalos solo quiere juegos para la consola.

- Se siente nervioso si deja de jugar.

- Mientras está realizando otra actividad piensa en los videojuegos.

- No come, no hace los deberes, olvida compromisos, deja a sus amigos por estar jugando...

Antes de comprar un videojuego, **comprueba cuál es su clasificación y a qué edad se recomienda jugar.** Existe una enorme oferta de videojuegos en el mercado, todos ellos clasificados por las normas del código de autorregulación por edades PEGI (Pan European Game Information). La clasificación por edad es un sistema destinado a garantizar que el contenido de los productos de entretenimiento, como son las películas, los vídeos, los DVD y los juegos de ordenador, sea etiquetado por edades en función de su contenido. Las clasificaciones por edades orientan a los consumidores (especialmente a los padres) y les ayudan a tomar la decisión sobre si deben comprar o no un producto concreto. Por este motivo no puedo entender cómo niños de 9 y 10 años tienen en sus manos juegos clasificados para mayores de 18 años.

¿Cuál es el significado de las etiquetas PEGI?*

Las etiquetas PEGI se colocan en el anverso y el reverso de los estuches e indican uno de los siguientes niveles de edad: 3, 7, 12, 16 y 18 años. Indican de manera fiable la idoneidad del contenido del juego en términos de protección de los menores. La clasificación por edades no tiene en cuenta el nivel de dificultad ni las habilidades necesarias para jugar.

---

*   http://www.pegi.info

PEGI 3: El contenido de los juegos con esta clasificación se considera apto para todos los grupos de edades. Se acepta cierto grado de violencia dentro de un contexto cómico (por lo general, formas de violencia típicas de dibujos animados como Bugs Bunny o Tom y Jerry). El niño no debería poder relacionar los personajes de la pantalla con personajes de la vida real, sino que los personajes del juego deben formar parte exclusivamente del ámbito de la fantasía. El juego no debe contener sonidos ni imágenes que puedan asustar o amedrentar a los niños pequeños. No debe oírse lenguaje soez.

PEGI 7: Pueden considerarse aptos para esta categoría los juegos que normalmente se clasificarían dentro de 3, pero que contengan escenas o sonidos que puedan asustar.

PEGI 12: En esta categoría pueden incluirse los videojuegos que muestren violencia de una naturaleza algo más gráfica hacia personajes de fantasía y/o violencia no gráfica hacia personajes de aspecto humano o hacia animales reconocibles, así como los videojuegos que muestren desnudos de naturaleza algo más gráfica. El lenguaje soez debe ser suave y no debe contener palabrotas sexuales.

PEGI 16: Esta categoría se aplica cuando la representación de la violencia (o actividad sexual) alcanza un nivel similar al que cabría esperar en la vida real. Los jóvenes de este grupo de edad también deben ser capaces de manejar un lenguaje más soez, el concepto del uso del tabaco y drogas, y la representación de actividades delictivas.

PEGI 18: La clasificación de adulto se aplica cuando el nivel de violencia alcanza tal grado que se convierte en representación de violencia brutal o incluye elementos de tipos específicos de violencia. La violencia brutal es el concepto más difícil de definir, ya que en muchos casos puede ser muy subjetiva, pero por lo general puede definirse como la representación de violencia que produce repugnancia en el espectador.

Los iconos que aparecen en el reverso de los estuches indican los motivos principales por los que un juego ha obtenido una categoría de edad concreta.

Existen ocho descriptores:

 Lenguaje soez. El juego contiene palabrotas.

 Discriminación. El juego contiene representaciones discriminatorias o material que puede favorecer la discriminación.

 Drogas. El juego hace referencia o muestra el uso de drogas.

 Miedo. El juego puede asustar o dar miedo a los niños.

 Juego. Juegos que fomentan el juego de azar y apuestas o enseñan a jugar.

 Sexo. El juego contiene representaciones de desnudez y/o comportamientos sexuales o referencias sexuales.

 Violencia. El juego contiene representaciones violentas.

 En línea. El juego puede jugarse en línea.

La televisión también maleduca

No cabe ninguna duda de que una de las cosas que más preocupa a los padres de hoy día es qué tipo de programas ven sus hijos en la televisión. Teniendo en cuenta las enormes dificultades que encuentran las familias para conciliar su vida familiar y laboral, es lógica esta preocupación, pues muchísimos niños pasan largas tardes solos en el hogar, como se desprende del estudio «Encuesta de Infancia en España» de la Fundación SM.

Pero, ¿a qué dedican el tiempo los niños cuando están solos en casa? Según indican las encuestas, fundamentalmente a **navegar por internet, a ver la televisión y a hacer uso de sus teléfonos móviles**, lo cual puede ser preocupante si no hay una supervisión por parte de los adultos.

Somos los padres quienes tenemos que educar a nuestros hijos para que hagan un uso responsable de la televisión y eviten lo que irresponsablemente emiten algunas cadenas de televisión dentro del llamado «horario de protección infantil», que tan poco se respeta. Además, los responsables últimos del consumo que se hace de la televisión cada día somos las familias.

El **horario protegido** es el que se encuentra en la franja de las 6:00 a las 22:00 horas, durante el cual no se pueden emitir programas clasificados como «no recomendados para menores de 18 años». Existe también un horario reforzado, que es el que está en la franja de las 8:00 a las 9:00 y de las 17:00 a las 20:00 horas de lunes a viernes y de 9:00 a 12:00 horas los sábados, domingos y festivos de ámbito nacional, donde no se pueden emitir programas clasificados como «no recomendados para menores de 13 años».

Ahora bien, hemos de tener en cuenta que desde la aparición de la televisión digital hay una gran diversidad de canales que se dedican a emitir una programación destinada a los niños casi las 24 horas, como Disney Channel, Clan, Boing... De todos modos, ahí también hay mucho que comentar.

La pregunta es: ¿está la televisión pensada para los niños? O, mejor aún, **¿la mayoría de los programas que se emiten en la actualidad están pensados para un público infantil o adulto?** Fíjate y comprobarás que dentro de ese «tramo protegido» están presentando:

1. Debates donde lo que prima es el insulto, la descalificación y las faltas de respeto continuadas.

2. Estereotipos de diversa clase, presentando a la mujer como reclamo sexual, el culto al cuerpo...

3. Contenidos violentos donde no solo aparece violencia física, sino también verbal y psicológica. Aquí incluiría algunos informativos que muestran contenidos violentos y explícitos

innecesarios. Es peligroso presentar la violencia como un modo sencillo de resolver los conflictos.

4. La sexualidad como algo completamente banal y de una manera muy superficial.

5. Un uso del lenguaje desagradable y, en muchas ocasiones, inadecuado.

Consejos para un buen uso de la televisión

- Tenemos que evitar que el niño tenga un televisor en su habitación. Este deberá estar en la sala principal de la casa, donde nos permita el diálogo con nuestros hijos mientras están viendo la tele.

- Hay que evitar que estén continuamente haciendo zapping, ya que provoca que no vean nada y «salten» de un programa a otro perdiendo el tiempo.

- Predica con tu ejemplo. No podemos educar en el buen uso de la televisión si como padres no hacemos un buen uso de la misma.

- En la medida de lo posible, tenemos que acompañar a nuestros hijos mientras ven la televisión, comentando aquellas imágenes o expresiones que no son apropiadas.

- Tenemos que aprovechar y convertir la televisión en una herramienta educativa para el diálogo y el debate.

- Se debe establecer un horario razonable que se ha de cumplir y revisar la programación seleccionando los programas adaptados a su edad.

- No tenemos que utilizar la televisión como única forma de recompensa.

- No hay que tener el televisor todo el día encendido y se debe evitar que se convierta en el centro del hogar o el único lugar de encuentro en el espacio familiar. Por este motivo sería interesante no encenderlo mientras comemos o cenamos. Aprovechemos la oportunidad para conversar en familia.

- Hay que potenciar en nuestros hijos una actitud crítica que les ayude a adquirir una mayor autonomía. Enseñémosles a **ser críticos**; para ello debemos ver la televisión con ellos y reinterpretar lo que ven.

- Vacunemos a nuestros hijos de la avalancha publicitaria (especialmente de la sexista).

En definitiva, tenemos que educar en cómo ver la televisión, tanto desde la familia como desde la escuela, pues si sabemos aprovecharla, tenemos una herramienta muy poderosa y útil a nuestro favor.

Criterios de selección de la programación

Los programas que nuestros hijos pueden ver deben ser:

- Adecuados a su edad.
- Coherentes con los valores que deseamos transmitirles.
- Útiles para su aprendizaje emocional, académico...

Los padres ya pasamos muchas horas separados de nuestros hijos por el trabajo y por la escuela. Hemos de intentar que la televisión no devore la mayor parte del tiempo que nos queda para estar con ellos.

CARLOS GONZÁLEZ

Tiempo para ver la televisión

- Niños menores de 5 años. Controlar el acceso a la televisión y «otras pantallas». En cualquier caso debemos seleccionar programas muy específicos y siempre bajo la supervisión de un adulto.

- A partir de los 5 años. El tiempo máximo de «exposición a pantallas» (cualquier tipo de pantalla) recomendado no debe superar los 90 minutos diarios.

 Dedica tiempo a navegar con tus hijos: conéctate con ellos y acompáñalos para conocer mejor sus intereses y preferencias.

3. Pautas de uso
0-3 años

Mis hijos, por supuesto, tendrán un ordenador algún día.
Pero antes de que llegue ese día, tienen libros.

BILL GATES

Nada de pantallas de 0 a 2 años

V oy a confesarte que he estado tentado a dejar las páginas de este capítulo totalmente en blanco, como Álvaro Bilbao en su libro *El cerebro del niño explicado a los padres* en el capítulo 26, «Las mejores aplicaciones para niños menores de 6 años». De manera fantástica, el autor deja la página en blanco... Buen mensaje. Ahora entenderás el motivo de que haya estado tentado a hacerlo: la American Academy of Pediatrics (AAP) destaca que hay que **evitar totalmente la exposición a la televisión y a otras pantallas antes de los 2 años de edad.**

«La televisión y otros medios (digitales) de entretenimiento deben ser evitados en bebés y niños menores de 2 años. El cerebro del niño se desarrolla rápidamente durante estos primeros años, y los niños aprenden mejor de las interacciones con personas, no con pantallas»

Veamos un resumen de las recomendaciones de la AAP*:

• **Nada de pantallas antes de los 18 meses de edad.**

• Los padres de niños **entre 18 a 24 meses** que quieren introducir contenido digital deben elegir **programas de alta calidad** y verlos en compañía de sus niños para ayudarlos a discernir lo que están viendo.

---

* https://healthychildren.org/Spanish/news/Paginas/aap-announces
-new-recommendations-for-childrens-media-use.aspx

- De 2 a 5 años se debe **limitar el uso a una hora al día** de programas de alta calidad. Los padres deben ver el contenido mediático junto con sus niños para ayudarles a entender lo que están viendo y aplicarlo al mundo que los rodea.

- Para los niños de 6 años en adelante, los padres deben establecer **límites coherentes sobre el tiempo** y **el tipo de contenido** que usan, y cerciorarse de que su consumo no acapare el tiempo para el sueño adecuado, la actividad física y otros comportamientos esenciales para la salud.

La Canadian Paediatric Society* también va en la misma línea:

- El **tiempo de pantalla para niños menores de 2 años no es recomendable,** ya que no hay beneficios documentados.

- Para niños de **3 a 5 años de edad, se debe limitar el tiempo** de la pantalla a menos de una hora por día.

- **Se deben evitar las pantallas** al menos una hora antes de acostarse.

> *La tecnología y las pantallas son herramientas, no son juguetes.*
>
> MICHELLE PONTI

Dicha sociedad señala además algo que ya hemos destacado en el libro, que los padres debemos dar **un buen ejemplo:**

---

* https://www.cps.ca/en/documents/position/screen-time-and-young-children

«Apaga tu pantalla cuando no la usas; si estás en el parque, estás en el parque, no necesitas contestar el correo electrónico o chatear de inmediato».

Todas estas recomendaciones tienen su razón de ser, pues, como señala Catherine Lecuyer:[*]

«El consumo de pantalla por encima de lo recomendado por las principales asociaciones pediátricas en el mundo puede contribuir a un déficit de aprendizaje, a una pérdida de oportunidades de relaciones interpersonales, a la impulsividad, a la inatención, a la disminución del vocabulario y a problemas de adicción y de lenguaje. Y el etcétera es largo. La lógica es que la atención que un niño presta ante una tableta no es una atención sostenida, sino una atención artificial, mantenida por estímulos externos frecuentes e intermitentes. Quien lleva la rienda ante una tableta no es el niño, sino la aplicación del dispositivo, programada para enganchar al usuario».

¿No te parecen suficientes motivos para alejar a tus hijos de las tecnologías y las pantallas en esta etapa?

Es interesante destacar que algunos de los más famosos «gurús tecnológicos» del mundo (Bill Gates y Steve Jobs fueron algunos de ellos) son partidarios de un uso muy limitado, y en ocasiones nulo, de las nuevas tecnologías por parte de sus hijos. De hecho, muchos ejecutivos de Silicon Valley llevan a sus hijos pequeños a escuelas Waldorf en las que no se utilizan ordenadores ni otro tipo de dispositivos electrónicos hasta que los alumnos no han cumplido los 12 años de edad. ¿Por qué será?

¿Entiendes ahora que quisiera dejar este capítulo en blanco? Pero creo que necesitas toda esta información para poder tomar la mejor decisión con tus hijos. Sigamos.

---

[*]   https://catherinelecuyer.com/2017/09/12/no-te-enganes-tu-hijo-no-necesita-una-tableta/

El peligro de la sobreestimulación

Como sabes, la tecnología tiene su vertiente positiva pero al mismo tiempo la introducción de la misma en edades tempranas nos está dejando consecuencias nefastas. Sabemos que nuestros bebés necesitan una estimulación: jugar con él, dejarle experimentar, el movimiento, alcanzar objetos, etc.

Hasta hace unos años esta estimulación se recibía a través del entorno más cercano, de la familia y amigos, del contacto con la naturaleza, etc., pero desde hace unos años ha aparecido lo que Eva Millet denomina la *hiperpaternidad,* que conlleva la necesidad de estimularlos para que sean los mejores ya desde bien pequeños. Como afirma la autora, «los hijos se ha convertido en un signo de status. El hiperpadre compite a través del hijo». Por este motivo, como muy bien señala la psicóloga Alicia Banderas, «hemos abierto las puertas de nuestro hogar a un monstruo, el monstruo de la sobreestimulación, permitiendo que se acerque a nuestro hijo sin que se lo lleve físicamente, pero sí obligándolo a convivir con él, lo cual lo hace más cruel, y generando una presión social anteriormente desconocida».

Esta obsesión por sobreestimular a los hijos empieza incluso antes de que el bebé nazca. Basta comprobar la cantidad de artículos a la venta que sirven para este fin (selección musical para que sea más inteligente, música de relajación, Baby Einstein...).

Y esta autoexigencia nos conduce a aspirar a ser padres perfectos que no se equivocan y no nos damos cuenta de que entre el sentimiento de culpa que nos genera y la ansiedad por no estar haciéndolo bien o «como lo hacen otros padres» vamos perdiendo confianza en nosotros mismos a la hora de educar. Además, sin querer, acabamos proyectando en nuestros hijos nuestras propias frustraciones, deseos y sueños no cumplidos, con las consecuencias negativas que esto conlleva.

Por tanto, en lugar de someter a nuestros hijos a esta excesiva sobreestimulación, deberíamos fomentar la paciencia y el autocontrol. De ello hablaremos en el siguiente capítulo.

Estamos hablando de algo muy serio y que tiene consecuencias perjudiciales para el desarrollo de nuestros hijos. Como destaca Alicia Banderas:

«Algo artificial como observar pantallas está dejando de lado los procesos naturales de atención en los niños y la manera de relacionarse de forma sana y de despertar su motivación intrínseca. Se desconocen los riesgos, excepto en los primeros años de vida, en los que son absolutamente perjudiciales. De ahí que se recomiende la ausencia del uso de pantallas antes de los 2 años, muy particularmente antes de los 18 meses».

> «Nutribén da marcha atrás con la cuchara de hologramas para alimentar a bebés».*

Rectificar es de sabios. Nutribén ha dado marcha atrás con uno de sus revolucionarios inventos después de que padres y pediatras pusieran el grito en el cielo. Con su Nutrispoon ofrecían una cuchara en la que se podía incorporar un smartphone y con un sistema de cristales podían crearse hologramas de dibujos en movimiento.

El vídeo publicitario, donde aparecían unos padres primerizos hablando de las maravillas de esta cuchara mágica, ya ha sido retirado de YouTube por la compañía. En él se explicaba que era «muchísimo más fácil darle de comer» al bebé mientras jugaban. El «avioncito» que se ha hecho toda la vida moviendo la cuchara en el aire ahora cobraba otro sentido al poder incorporar un avión en movimiento flotando sobre la cuchara.

El inventó despertó una andana de críticas e indignación en redes sociales como Twitter. Se quejaban principalmente de lo perjudicial que puede ser para un bebé exponerlo constantemente a las pantallas de los teléfonos. La marca ha salido a defenderse retirando el anuncio y publicando un comunicado oficial donde aclaran que es solo un prototipo que «nunca ha estado ni estará a la venta». Lamentan la polémica generada y creen que el objetivo que perseguían no se transmitió bien.

---

* https://www.lavanguardia.com/vida/20180313/441496944394/nutriben -cuchara-hologramas-alimentar-bebes-nutrispoon.html

Antes de la renuncia, desde la cuenta oficial habían manifestado su asombro ante las críticas. «Solo es una alternativa, un prototipo para si en algún momento un padre quiere dar de comer a sus hijos y divertirse un poco con ellos de una forma distinta. ¿Tan grave es para ponerse así? Respetamos todas las opiniones pero creemos se está sacando de contexto todo esto ya...», le respondieron a un usuario de Twitter.

Tal fue la indignación con el producto que hasta dos pediatras lanzaron una petición de recogida de firmas en Change.org pidiendo su retirada. «Dicho dispositivo contradice las normas más básicas de nutrición infantil en donde debe primar el enseñar a comer a los niños más que el que coman por comer. Además, con dicho dispositivo no se respeta la sensación de hambre ni saciedad del niño, por lo que el acto de comer se convierte en algo involuntario con una pobre experiencia en el niño», afirman los médicos.

«Esta cuchara contradice además recomendaciones actuales de la Organización Mundial de la Salud y de la Asociación Europea Pediátrica de Gastroenterología, Hepatología y Nutrición en las que se recomienda no distraer a los niños mientras comen para que no pierdan interés por la comida. Las acciones de una marca como Nutribén, la cual comercializa alimentos infantiles, deben ir encaminadas a mejorar la salud de los niños y no a empeorarla», añaden.

El juego es clave

Una manera muy efectiva de aprender es jugando. Los niños necesitan jugar. El juego es esencial para el desarrollo integral del niño e influye en su crecimiento y maduración a todos los niveles: físico, mental, emocional, social... **El juego les prepara para la vida.** En palabras de Silvia Álava, «los juguetes, además de ser un medio de distracción y de entretenimiento para los niños, bien utilizados sirven para estimularlos y favorecen muchos procesos de aprendizaje, como las destrezas motrices finas, la agilidad mental, la motricidad gruesa, la resistencia física...».

Jugar es tan necesario para el desarrollo del niño que está recogido en la Declaración de los Derechos del Niño, aprobada por la ONU en 1959:

«El niño debe disfrutar plenamente de juegos y recreaciones, los cuales deben estar orientados hacia los fines perseguidos por la educación. La sociedad y las autoridades públicas se esforzarán por promover el goce de este derecho».

Existen varios tipos de juego:

- **Juegos de ejercicio:** juegos de manipulación, sonoros...

- **Juegos de armar:** juegos para encajar, construcciones...

- **Juego simbólico:** juegos de representación, «jugar a que...»

- **Juego de reglas:** juegos de cartas, juegos de mesa...

Recomendaciones para los padres

- Debes sacar tiempo todos los días para jugar con los hijos.

- Es importante que en el juego intervenga tanto el padre como la madre (que no jueguen siempre con el mismo).

- La tarea de los padres no es solo comprarles juguetes: deben enseñarles a jugar.

- También deben llevarles al parque cada día para que disfruten jugando al aire libre y aprendan a relacionarse poco a poco.

- Deben ofrecerles un entorno rico: lugares para explorar, juguetes creativos...

En palabras de Margot Sunderland:

«Si proporcionas a tu hijo muchas actividades imaginativas exploradoras, activarás el sistema de "búsqueda" de su cerebro. Cuando opera este sistema, el niño tiene ganas de vivir, curiosidad y el impulso y la motivación necesarios para hacer realidad sus ideas creativas».

¿Todavía no te has convencido de la importancia del juego? Como puedes comprobar, es más que necesario para nuestros hijos.

Los juegos de los niños no son juegos,
sino que hay que juzgarlos como sus acciones más serias.

MONTAIGNE

 No le ofrezcas el dispositivo para esperar (por Álvaro Bilbao)

El cerebro necesita ratos de espera y aburrimiento para desarrollar habilidades como la creatividad o la capacidad para tolerar la frustración. Ofrecer a tu hijo el dispositivo cada vez que tiene que esperar cinco minutos en el médico o cuando tiene que hacer un viaje en coche, no le ayudará a desarrollar estas habilidades. Si tiene que esperar, que espere. Ya aprenderá a aguantarse o a entretenerse solo. Son dos habilidades que le resultarán muy útiles a lo largo de su vida.

 Después de cenar, nada de dispositivos (por Álvaro Bilbao)

Los videojuegos y las aplicaciones, aunque estén pensadas para niños, contienen imágenes, sonidos y movimientos que buscan captar su atención. Cada vez hay más niños con problemas de sueño y adolescentes que duermen menos de siete horas enganchados a las pantallas. Si quieres ayudar a tus hijos a conciliar el sueño y desarrollar una buena higiene, evita que su cerebro se sobreexcite.

Además de estos apuntes de Álvaro, te recomiendo que veas el vídeo* del autor «Tabletas y teléfonos a la hora de cenar».

 Los padres preguntan

1. ¿Qué juguetes son los más adecuados para reemplazar los dispositivos electrónicos en esta etapa?

A la hora de elegir un juguete tendremos en cuenta varios aspectos fundamentales:

1. Edad del niño.
2. Seguridad del juguete.
3. Simplicidad.
4. Durabilidad.
5. Manejabilidad.
6. Valor educativo del juguete.
7. Versatilidad.
8. Gustos y personalidad del niño.

Y recuerda...

- Para jugar hace falta tiempo.

- Los juguetes no deben estar determinados por el género; cada niño debe jugar con el juguete que elija. Por eso es interesante visitar las tiendas de juguetes y que los vean en «directo», que no se creen falsas expectativas y se queden solamente con la imagen que ven en la publicidad.

---

* https://www.facebook.com/elcerebrodelnino/videos/1844148722511521/

- Puedes orientar las preferencias del niño pero no seleccionar un juguete con el que no vaya a jugar.
- Revisa los juguetes periódicamente: un juguete roto puede ser peligroso para el niño.
- Cada edad tiene sus juguetes adecuados.
- El juguete no enseña a jugar, es fundamental el papel de los padres.
- También les debes enseñar a jugar sin juguetes para que no siempre dependa de ellos para pasarlo bien.
- Es importante que los padres jueguen con sus hijos, pero que también estos aprendan a jugar solos.
- Es mejor comprar juguetes sencillos, los complicados anulan la fantasía y la creatividad.
- Puedes hacer una «rotación» y guardar juguetes durante una temporada para posteriormente sacarlos de nuevo. De esta manera la novedad es continua.

Según un estudio del departamento de psicología de la Universidad de Oxford, los niños están perdiendo la habilidad para jugar debido al exceso de juguetes. María Jesús Álava Reyes realiza una afirmación en su libro *El no también ayuda a crecer* que nos debe hacer reflexionar:

> *Nunca los niños tuvieron tantos juguetes y nunca se han mostrado tan aburridos, escépticos y desinteresados por los mismos.*

En la práctica
Veamos algunos ejemplos en relación a la edad del niño:

- 0-9 meses: móviles de cuna con música, sonajeros, mordedores, alfombra de actividades...

- **9-24 meses:** juguetes sonoros, cubos para encajar, juguetes para la bañera, cubos y palas (arena)…

- **1 año:** andadores, cubos para apilar, peluches suaves, pelotas grandes, pintura de dedos, pizarras, libros con texturas y sonidos…

- **2 años:** carretillas, triciclos, instrumentos musicales, puzles de 5 o 6 piezas, pelotas, libros con imágenes grandes…

- **3 años:** trenes, camiones, disfraces, sombreros, elementos de peluquería, triciclos y bicis, construcciones, libros para colorear y poner pegatinas, libros con imágenes vistosas, pelotas…

Y entonces, de repente, los padres caemos en la cuenta y descubrimos que lo menos importante para jugar… son los juguetes.

Te planteo una actividad práctica: **juega con tu hijo**. Háblale, sonríele, cántale, etc. Muéstrale juguetes, muñecos, hazle cosquillas, léele cuentos… En definitiva: disfruta jugando con tu hijo en esta maravillosa etapa.

2. ¿Entonces los bebés y niños pequeños no deben ver la televisión?

Siguiendo las indicaciones de las más destacadas asociaciones pediátricas a nivel mundial, no. Como muy bien señala el Dr. David Hill:

«Escucho a muchos padres decir: "Pero a mi bebé le gusta". Los bebés pueden mirar fijamente los colores brillantes y el movimiento en la pantalla, pero sus cerebros no son capaces de discernir o darle significado a todas esas extrañas imágenes.

Toma por lo menos 18 meses al cerebro del bebé poder desarrollarse hasta el punto de entender que los símbolos de la pantalla representan o tienen un equivalente en el mundo real.

Lo que los bebés y los niños pequeños necesitan más para aprender es la interacción con las personas que los rodean. Esto no quiere decir que no deban usar el video chat con un abuelo que vive lejos o con padre que esté trabajando lejos, pero en lo que se refiere al aprendizaje diario, necesitan tocar las cosas, sacudirlas, tirarlas, y lo que es más importante, ver las caras y oír las voces de aquellos que más quieren. Las aplicaciones les pueden enseñar a puntear, a tocar y a pasar los dedos por la pantalla, pero los estudios de investigación nos dicen que estas destrezas no se traducen al aprendizaje del mundo real».

Y añade:

«La buena evidencia sugiere que la pantalla que ven antes de los 18 meses tiene efectos negativos duraderos en el desarrollo del idioma, destrezas de la lectura y memoria a corto plazo del niño. También contribuye a problemas con el sueño y la atención».

Creo que todos estos son motivos más que suficientes para no exponer a nuestros bebés tan pronto al efecto perjudicial de las pantallas.

3. ¿Qué extraescolares recomiendas para niños de 0 a 3 años?

Es importante destacar lo que he señalado en la pregunta anterior: lo que los bebés y los niños pequeños necesitan más para aprender es la interacción con las personas que les rodean (más que las pantallas). Por este motivo, en estos primeros años no me iría a la iniciación musical o deportiva, a los idiomas, etc.; ya tendremos tiempo para ello. Considero que es mejor plantear actividades sencillas que nosotros podemos hacer y compartir con ellos:

- **Ir al parque.** Permite desarrollar y fortalecer la capacidad psicomotriz y que aprenda a relacionarse con niños de su edad. Una buena oportunidad para fomentar el juego libre.

- **Leer cuentos.** Ayudan a desarrollar el vocabulario, la memoria y la capacidad de concentración. Pasaréis buenos ratos juntos.

- **Piscina.** Aprovecha el verano o bien si tienes oportunidad de ir a alguna piscina cubierta para compartir momentos de baño y juegos en el agua. Que poco a poco se vaya soltando y adquiriendo mayor confianza y seguridad.

- **Juego libre.** Es fundamental en el desarrollo intelectual y emocional del niño. Es importante que los niños crezcan a su ritmo y desde luego que jueguen a su ritmo. El exceso de estímulos, la sobrecarga de actividades y las prisas difícilmente ayudan, pues el cerebro en desarrollo del niño necesita su tiempo para procesar lo aprendido a través del juego.

Lo esencial es invisible a los ojos.
ANTOINE DE SAINT-EXUPÉRY

4. Dices que es importante dar buen ejemplo a nuestros hijos, ¿cómo lo hago?

En esta etapa lo esencial es **dedicarles tiempo**. ¿Cómo puedes hacerlo? Prueba con estas tres claves:

1. Empieza eliminando los «ladrones de tiempo».
    Cada cual tiene los suyos. Por eso debes identificar cuáles son los tuyos. De este modo podrás aprovechar al máximo ese tiempo que dedicas a tus hijos y cada segundo «de oro» que pases con ellos será un verdadero tiempo de calidad. Veamos algunos ejemplos de «ladrones de tiempo»:

- **Reuniones innecesarias** que debes saber aplazar o eliminar de tu agenda porque no te aportan nada.

- Durante el tiempo que estás con tu hijo **deja a un lado tu smartphone, olvida las llamadas, e-mails, WhatsApp...** Vive al máximo ese momento con plena atención y dedicación.

- **Apaga el televisor** mientras estás con tu hijo y atiéndelo como se merece.

Se me ocurren muchísimos más, pero debes ser tú quien identifique tus propios ladrones de tiempo para empezar a eliminarlos y lograr que ese tiempo que pasas con tus hijos sea de prioridad absoluta. De esta forma transmitirás a tus hijos un mensaje necesario: **«En este momento tú eres lo más importante y por eso te atiendo como mereces: solo estoy para ti».** Nada de llamadas, mensajes, etc. La propia Elizabeth Kilbey señala:

> «Necesitan sentir una conexión exclusiva. Necesitan saber que son importantes y que tienen toda tu atención. Necesitan que dejes el teléfono cuando están tratando de compartir contigo algo importante para ellos sobre el colegio o sus amigos. Necesitan el contacto visual y saber que realmente les estás escuchando, sin la distracción del aviso de un mensaje de texto o de un tuit. Y sobre todo, necesitan que estés ahí».

2. **Busca estrategias para compartir el tiempo.**
   Busca momentos en los que poder compartir el tiempo con tus hijos: pueden ser situaciones cotidianas, como, por ejemplo mientras estás comiendo o preparando la comida. Puedes

convertir momentos cotidianos en **momentos especiales**. Dedica una parte del día para preguntarle cómo le va, qué es lo que ha hecho, qué cosas buenas le han pasado durante la jornada, etc. Del mismo modo, cuéntale tú también cómo te ha ido a ti. Es una buena oportunidad para favorecer el diálogo y la comunicación con tus hijos.

3. Gestiona el tiempo de tu propio hijo.

No podemos sobrecargar a nuestros hijos con actividades extraescolares sin sentido solo para tenerlos «ocupados». Es necesario dejar «huecos» en su agenda y que tengan tiempo para **estar** con nosotros, con sus amigos, con sus abuelos... Lo afirman Pilar Guembe y Carlos Goñi: «la mejor actividad extraescolar a la que podemos apuntar a un niño es a la de pasar tiempo con sus padres y jugar». No hay ninguna duda.

Es importantísimo educar con nuestro ejemplo, ya que somos un modelo para nuestros hijos. No podemos transmitirles nuestras prisas y urgencias. **Si no somos capaces de gestionar nuestro propio tiempo, no esperemos que ellos lo hagan.** Lo único que conseguimos es que unos y otros perdamos minutos, horas, días o semanas de poder disfrutar juntos. Y como se suele decir, el tiempo que pasa no se recupera, no vuelve. De ahí la importancia de educar (y educarnos) en **vivir en el momento presente** sin las ataduras del pasado ni la proyección y las urgencias del futuro. Empieza ahora mismo: cierra el libro, deja a un lado tus obligaciones y ponte a jugar con tus hijos. Vive y disfruta al máximo este momento... **No lo olvides: tu tiempo es el mejor regalo para tus hijos.**

5. ¿Dificulta la tecnología el desarrollo psicomotor de los niños?

Por desgracia así es. Recientemente, en un artículo publicado por el diario británico *The Guardian**, la terapeuta ocupacional pediátrica principal de la Heart of England NHS Foundation Trust, Sally Payne, alertaba de que muchos niños ingresan hoy en la escuela sin capacidad siquiera para sostener un lápiz porque no han adquirido previamente las habilidades fundamentales de movimiento:

> «Para poder agarrar un lápiz y moverlo necesitas un fuerte control de los músculos finos de tus dedos. Los niños necesitan muchas oportunidades para desarrollar esas habilidades».

Y parece ser que no las tienen. La misma Payne destaca que la naturaleza del juego ha cambiado:

> «Es más fácil darle un iPad a un niño que alentarlo a que haga un juego de construcción muscular como construir bloques, cortar y pegar, o tirar de juguetes y cuerdas. Debido a esto, no están desarrollando las habilidades fundamentales que necesitan para agarrar y sostener un lápiz».

Karin Bishop, subdirectora del Royal College of Occupational Therapists, también señala preocupaciones:

> «Es innegable que la tecnología ha cambiado el mundo en el que crecen nuestros hijos. Si bien hay muchos aspectos positivos en el uso de la tecnología, cada vez hay más pruebas sobre el impacto de estilos de vida más sedentarios y el aumento de la interacción social virtual, ya que los niños pasan más tiempo en el interior y menos tiempo participando físicamente en ocupaciones activas».

---

*   https://www.theguardian.com/society/2018/feb/25/children-struggle
    -to-hold-pencils-due-to-too-much-tech-doctors-say

4. Pautas de uso
4-6 años

Los padres deben saber crear y enseñar hábitos digitales saludables.

ELIZABETH KILBEY

Recomendaciones de 4 a 6 años

V amos a seguir analizando las recomendaciones y estrategias a seguir en el siguiente tramo de edad. En la etapa que va de los 4 a los 6 años se producen los primeros contactos con la tecnología y es necesaria una **supervisión total** de su actividad para asegurar que se desarrolla con total seguridad.

Desde la Oficina de Seguridad del Internauta (OSI) se recomienda:

- **Prepara un entorno TIC controlado sin conexión a internet.** Habilita entornos sin conexión a la red (por ejemplo, tableta sin conexión wifi) que dispongan de un catálogo cerrado de contenidos aptos para su edad. Solo se recomienda que utilicen dispositivos con conexión a internet (teléfonos, tabletas, ordenadores, consolas, Smart TV) bajo la supervisión directa de un adulto.

- **Elige contenidos infantiles.** Selecciona previamente los contenidos a los que tendrán acceso. Al comenzar a utilizarlos acompáñales para asegurarte de que se sienten cómodos.

  Aquí te recomendaría que en lugar de usar YouTube, hagas uso de **YouTube Kids** (https://support.google.com/YouTubekids/). Se trata de una aplicación para padres e hijos que facilita a los niños la búsqueda de vídeos sobre los temas que quieran explorar en un entorno seguro.

- **Supervisa su actividad.** Mantén los dispositivos en un lugar central de la casa para supervisar su uso. Presta atención a sus reacciones, pregúntales por lo que han visto y escúchales con atención. Es el momento de empezar a fomentar el diálogo familiar.

Es fundamental iniciar el diálogo desde que son bien pequeños. No esperemos a entablar comunicación con ellos cuando sean adolescentes... será demasiado tarde.

• **Iniciales en buenos hábitos de uso.** Comienza a trasladarles la importancia de la privacidad y de limitar la difusión de información personal y/o familiar (por ejemplo, cuando estés enviando una foto a un familiar o conocido a través de WhatsApp, diles que hay que tener cuidado con lo que se envía).

    Es fantástico hablar sobre los posibles peligros a estas edades, ya que lo van interiorizando y aprendiendo como un juego. En etapas posteriores será más difícil, puesto que llegarán a afirmar que «saben más que nosotros sobre el tema» (formémonos para que esto no se convierta en una realidad).

• **Sé claro con las normas desde el principio.** Establece límites sobre el tiempo de uso de los dispositivos para evitar abusos y para comenzar a fomentar un uso equilibrado de las tecnologías que no interfiera con las obligaciones ni con el resto de actividades de tiempo libre.

• **Comunícales que estás disponible.** Resulta esencial trasladarles que sus padres siempre van a escucharles y ofrecerles ayuda ante cualquier problema. Esta quizás sea la recomendación más importante de todas: que sepan que siempre vas a estar ahí para lo que necesiten y que, ante cualquier problema, no duden en contártelo. La confianza es fundamental y se debe trabajar desde las etapas iniciales.

Por eso es tan importante que te prepares y formes (como ya lo estás haciendo leyendo y poniendo en práctica este libro) y no ocurra lo que comentan Pilar Guembe y Carlos Goñi:

«Como nos ven náufragos en una isla desierta sin cobertura ni conexión, no nos piden ayuda, no cuentan con nosotros y, simplemente, no nos lo cuentan. Prefieren buscarse la vida ellos solos porque no les queda otro remedio; no en vano les hemos dejado claro que en estos temas no tenemos nada que decir, que somos analfabetos digitales y que no les podemos echar una mano. Es la excusa perfecta y además bilateral: "Mis padres no tienen ni idea de informática", dicen los hijos, mientas que los padres se justifican: "Es que yo no entiendo de esas cosas"».

Como puedes comprobar, en esta etapa las palabras clave son: **prevenir, acompañar, supervisar** y **preparar.**

Huella e identidad digital (I)

¿Has buscado alguna vez en Google tu nombre o el de tus hijos? Haz la prueba y mira los resultados que aparecen. Esa cantidad de resultados que aparecen constituyen tu *identidad digital,* lo que la red dice que eres para otros. En palabras de Santiago Moll:

«La identidad digital consiste en toda la información sobre una persona, entidad u organización con presencia en la red. Y hablar de presencia, me refiero a mis datos personales, imágenes, vídeos, artículos, comentarios en blogs, redes sociales, preferencias religiosas, políticas, sexuales, información académica, laboral, etc.».

Además de la identidad digital nos encontramos con otro concepto fundamental: la *reputación digital,* de la que hablaremos más adelante.

Una encuesta de la empresa de seguridad informática AVG realizada a 2.000 madres de 10 países, entre ellos España, revela que el 81 % de los bebés ya tienen algún tipo de presencia en internet al cumplir los seis meses de edad. La cuarta parte de ellos tiene su «bautizo digital» mucho antes, cuando sus padres publican en una red social el primer ultrasonido.

Según AVG, el 7 % de los menores de dos años tiene una cuenta de correo electrónico creada por sus padres, y el 5 % dispone de su propio perfil en alguna red social. Algunos padres incluso tuitean en nombre de sus hijos... Si seguimos así, mostrando la intimidad de nuestros hijos, nos convertiremos en *«padres sharent»* o, lo que es lo mismo, padres que practican el *oversharing* (término con el que se ha denominado esta especie de síndrome de compartirlo todo), también conocido como *sharenting* (mezcla de *share*, «compartir» y *parenting*, «crianza»). De verdad, esto nos debe llevar a una profunda reflexión. ¿Qué estamos haciendo? La huella digital que dejamos en las redes sociales es imborrable.

En Estados Unidos, según el libro *American Girls: Social media and the secret life of teenagers,* el 92 % de los niños tiene una identidad digital a los 2 años. Antes de que el niño cumpla 5 años ya habrá en la red cerca de 1.000 fotos suyas.

Los padres compartimos estas imágenes por muchos motivos: porque estamos felices, buscamos información o aprobación... Hay mil razones y cada uno tiene la suya. Pero olvidamos que ese bebé que ahora tenemos delante crecerá y un día llegará a internet donde se encontrará con un registro completo de su vida. ¿Cuáles serán las consecuencias? ¿Qué pensará? El futuro dirá...

El problema es que, como apuntan desde la compañía AVG, una vez que algo se sube a internet, es difícil de controlar (un mensaje que debemos explicar y transmitir a nuestros hijos desde bien pequeños).

Colgamos imágenes de nuestros hijos que ahora nos pueden parecer muy simpáticas, pero que quizás no lo sean tanto dentro de 10 o 15 años...

Además, y es algo a tener muy presente, se estima que el 50 % de las imágenes que se comparten en las webs pedófilas provienen de las redes sociales según un estudio publicado en la revista médica JAMA firmado por la pediatra Keith Bahareh. En la misma recomienda encarecidamente a los padres que no compartan nunca fotos de niños desnudos, incluyendo a los recién nacidos.

Educar la paciencia

En el capítulo anterior hemos hablado del afán de muchos padres por sobreestimular a sus pequeños y los efectos nocivos que esto conlleva. En palabras de Alicia Banderas:

«Muchos padres pecan de sobreestimular a sus bebés con juguetes extravagantes y llamativos, pantallas con dibujos animados rápidos y agresivos. Ante semejante exposición, se observa que muchos bebés se duermen, lloran aún más o desplazan su mirada y su cabecita cuando se da esta situación. Es su intento a la desesperada por rechazar lo que no quieren y alejarse del estrés que les provoca».

Por este motivo considero de gran importancia **educar la paciencia**. Los padres nos quejamos con frecuencia de lo difícil que es educar hoy día. Uno de los motivos de que esto sea así es porque **vivimos en la sociedad de la inmediatez, en la que todo lo podemos conseguir sin esperar** (muchas veces a golpe de clic), y esto tiene consecuencias en el terreno educativo. Nuestros hijos han nacido en un mundo regido por la **inmediatez, la impaciencia, la velocidad y la impulsividad** (todo ello amplificado por las nuevas tecnologías). A nosotros, que somos de otra generación, hay muchas ocasiones en que nos sobrepasa y no sabemos de qué manera abordarlo.

Como muestra, dos ejemplos sencillos para la reflexión:

- Nuestros hijos no han conocido lo que es tener que esperar varios días para revelar un carrete de fotos (si en aquel entonces lo tenías en una hora era todo un milagro), ya que han nacido en el mundo de la imagen digital y están acostumbrados a hacer cientos de fotos, repetirlas, borrarlas...

- Tampoco saben lo que es rebobinar una cinta de casete y tener que esperar para escuchar una canción. La tienen en un segundo abriendo su Spotify. Además, tienen acceso a cualquier álbum de música sin tener que esperar o ir a la tienda para comprarlo.

Si a esto le sumamos la sobreprotección y la ausencia de límites (muy presentes en algunas familias), conduce a que el niño imponga su deseo a los padres, que ante todo quieren evitar que su hijo sufra y se frustre. Tal es así que **nos encontramos con padres que se anticipan a los deseos del niño y ni siquiera esperan a que les pida las cosas.** De este modo, cuando no se satisfacen los deseos del niño, este responde exigiendo, gritando y, en ocasiones, perdiendo el control. Conviene entonces que nos preguntemos:

- ¿Qué ocurrirá con este niño cuando «salga al mundo real» y se enfrente a la vida?

- ¿Encontrará la mismas respuestas y formas de actuar que tienen sus padres en las demás personas? ¿Girará todo a su alrededor?

- ¿Qué ocurrirá cuando encuentre un trabajo? ¿El jefe le tratará igual que sus papás?

- ¿Y en una relación de pareja?

Será entonces cuando se dé cuenta de que todo no es tan sencillo y que los problemas que nos presenta la vida no se afrontan siguiendo el camino más simple. La vida no es tan fácil y **deberá aprender a aceptar un no por respuesta** y a gestionar las pequeñas frustraciones que se le presentan. Se trata de una parte importante del aprendizaje de la vida. Por este motivo considero de gran importancia recuperar un valor esencial para la vida y educar a nuestros hijos para que la cultiven. Se trata de la **paciencia.**

Para que nuestros hijos tengan paciencia, deben aprender a aguardar y saber esperar. Como decía F. Schleiermacher, «la paciencia es el arte de esperar». Una de las formas que ayuda a tener paciencia es aprendiendo que **no todas sus peticiones son de obligado cumplimiento y que en más de una ocasión se encontrará con un no por respuesta** (la vida le presentará muchos «noes»).

En la práctica

Veamos en la práctica **4 claves para educar la paciencia:**

1. **Educar con nuestro ejemplo.** Como siempre, el elemento básico es nuestro ejemplo: no podemos pedirle al niño que tenga paciencia «en la fila del cole» si nosotros como incapaces de tenerla cuando estamos haciendo cola en el cine y nos enfadamos porque «se nos han colado» o cuando estamos en un atasco de tráfico gritando y haciendo sonar el claxon... El niño se va a ver en la necesidad de tener que guardar turno en muchas ocasiones tanto dentro del hogar como fuera de él, y debe aprender a hacerlo. Los adultos, con nuestro ejemplo, le mostraremos de qué forma se ha de hacer en las múltiples ocasiones en que es necesario guardar turno. Veamos algunos ejemplos:

   - En los juegos de mesa.
   - En la cola de comercios, aeropuertos...
   - En la consulta del médico.
   - Al subir o bajar de un vehículo público.

   Cuando vayamos al supermercado, nuestro hijos nos acompañarán a hacer cola en la caja y comprobarán la importancia de saber esperar y que nos atiendan cuando nos toque.
   Tampoco podemos perder la paciencia porque nuestro hijo tarda mucho tiempo en ponerse la ropa. Tengamos en cuenta su edad y limitaciones. Si actuamos así, ¿qué modelo le estamos ofreciendo? Si en algún momento perdemos la paciencia (a todos nos pasa), será necesario pedir disculpas.

2. **Ser comprensivo con la edad del niño.** Muchas veces no anticiparemos las cosas con mucho tiempo, sino que las avisaremos «de hoy para mañana» y de este modo evitaremos largas esperas de tiempo. Un ejemplo: en lugar de decirle «dentro de dos semanas iremos al cine», mejor «mañana iremos al cine». También tendremos en cuenta las circunstancias y limitaciones del niño: es normal que un niño cansado, irritado, con sueño, con hambre, etc., sea incapaz de esperar y que la impaciencia pueda desembocar en una explosión como una rabieta o una pataleta.

3. **Cumplir promesas.** Si le hemos hecho una promesa al niño, la tenemos que cumplir: «Cuando acabe lo que estoy haciendo, jugaremos con tus coches». Con esto le transmitimos un mensaje claro: vale la pena esperar. ¿Pero qué ocurrirá si no cumplimos nuestra promesa? Ya lo puedes adivinar...

4. **Pequeñas esperas.** Desde los 2 años el niño ya puede empezar a aprender que no todo ha de ser cuando él quiera y que tiene que esperar: por ejemplo, mientras le preparamos la merienda o le servimos la comida. Al principio le costará, pero irá asimilando la importancia de saber esperar. Seremos los adultos quienes reforzaremos esto con nuestro mensaje: «Espera un momentito mientras te preparo esto», «Ahora mismo te sirvo la leche pero espera un poco»...

Como puedes observar, el niño irá aprendiendo a esperar de forma paulatina y no será hasta alrededor de los 6 años de edad cuando esta espera sea del todo consciente. De todos modos, los padres debemos trabajar para reforzar este valor tan importante en la educación de nuestros hijos desde que son pequeños.

La paciencia es un árbol de raíz amarga
pero de frutos muy dulces.
PROVERBIO PERSA

Juguetes más que tabletas

Aunque lo parezca, nuestros hijos no quieren ser «aparcados» con juguetes llamativos o con pantallas que los entretengan a través de imágenes llamativas y efectos visuales. Por el contrario, quieren, esperan y necesitan **interacción humana**. Es esencial para su desarrollo. Por este motivo, aquí vuelvo a insistir en la necesidad de ofrecerles y favorecer un entorno que les permita descubrir por sí mismos. Como bien señala Alicia Banderas:

> «Educarles en la curiosidad y en el descubrimiento por sí mismos es el mejor andamio por el que comenzar a construir sus vidas».

De ahí la gran importancia del juego y los juguetes en su día a día.

Consejo de experto (por Álvaro Bilbao)*

Desde hace años vivimos un auténtico auge de un diagnóstico que provoca sufrimiento entre los más pequeños: el trastorno por déficit de atención (TDA). Desde los años setenta hasta 2010, el número de niños diagnosticados en Estados Unidos se multiplicó por siete. Desde 2000 hasta 2012, el número de recetas expedidas en Reino Unido para tratar este trastorno cognitivo se multiplicó por cuatro. Los factores que han provocado esta alza son muchos y complejos. Por una parte, la sensibilización de los pediatras ha hecho que se detecten con

---

* https://elpais.com/elpais/2017/06/23/ciencia/1498213275_166491.html

más eficacia. Por otra, la posibilidad de diagnosticarlo a partir de los 3 años (en lugar de a los 6 años) ha sido otro motivo para el aumento de la prevalencia.

Sin embargo, también hay otras razones que son más difíciles de entender. La más preocupante de todas ellas es el sobrediagnóstico: los expertos más alarmistas estiman que como mucho un 4 % de la población infantil podría sufrir este trastorno y, sin embargo, la realidad es que un 10 % de los niños en nuestro país tomarán medicación para el TDA en algún momento de su vida escolar.

Las razones que llevan al sobrediagnóstico parecen ser muchas. Los padres pasan menos tiempo con los hijos y esto parece interferir en el desarrollo de habilidades como el autocontrol o la capacidad para sobrellevar la frustración. Los colegios tienen menos paciencia con los alumnos difíciles o que no están tan motivados para aprender, en muchos casos presionados por los resultados académicos de la escuela en su conjunto.

También nos encontramos con la intrusión de las nuevas tecnologías en el cerebro en desarrollo de nuestros hijos. Desde los años ochenta sabemos que más tiempo frente al televisor se traduce en menos paciencia y autocontrol, peor desarrollo madurativo de la atención y mayores tasas de fracaso escolar. La razón es muy sencilla, cuando el niño juega, dibuja o interacciona con sus padres o hermanos, su cerebro debe dirigir la atención voluntariamente a aquellos estímulos o personas con los que interacciona. Cuando se sienta frente al televisor es la tele la que atrapa el interés del niño y hace todo el trabajo.

Por eso nos gusta ver la tele y engancharnos al móvil, no porque estimulen nuestro cerebro, sino porque nos entretienen, nos relajan. Hoy, los dispositivos móviles se utilizan para distraer al niño cuando se tiene que concentrar en terminar una papilla. Para entretener al niño cuando tiene que esperar en el pediatra. Para despistar al niño cuando tiene que esforzarse en ponerse el pijama al final del día. Con este tipo de estrategias parece sensato que el cerebro aprenda que cada vez que tiene que esforzarse, concentrarse o esperar quieto..., tiene permiso para distraerse.

Sin lugar a dudas estamos educando niños menos pacientes, menos atentos y con menor capacidad de esfuerzo, reflejo de una generación de padres menos pacientes y que damos menos valor a hacer las cosas despacio.

Todo ello lleva a que muchos niños sean llevados a un especialista que observa en él todos los síntomas necesarios para el diagnóstico: poco autocontrol, distracción o falta de motivación. En el caso de muchos niños el diagnóstico y el tratamiento son acertados. Para muchos otros, creemos, el trastorno por déficit de atención es un estigma de una sociedad que va demasiado deprisa para educar despacio.

Algunos niños, con ayuda de sus padres, profesores o terapeutas van desarrollando habilidades cognitivas como un mayor autocontrol o paciencia que permiten reducir y compensar las dificultades atencionales. A medida que se hacen mayores suelen preferir y encajar bien en trabajos que les permiten moverse y hacer cosas diversas a lo largo del día.

Pero pueden seguir existiendo desafíos en la vida cotidiana. Muchos los encuentran cuando tienen sus propios hijos y la paciencia, el orden o la organización vuelve a ser un elemento adaptativo fundamental. Algunos adultos con dificultades de atención no experimentan ninguna dificultad en su vida cotidiana, otros se regulan gracias a la medicación y un tercer grupo sufre muchas de estas dificultades pero no tiene ni idea de que el origen esté en una alteración de sus procesos atencionales y ejecutivos, ni conoce cómo compensarlos.

Los padres preguntan

1. Entonces, ¿qué juguetes son los más adecuados para reemplazar los dispositivos electrónicos en esta etapa?

En esta etapa los juguetes que seleccionemos para nuestros hijos deben seguir reuniendo las características que he mencionado en el capítulo anterior: seguridad, manejabilidad, valor educativo, simplicidad, adaptarse a las necesidades del niño...

Entre los juguetes que se adaptan a la edad de los niños de 4 a 6 años encontramos:

- Juegos de construcción: rompecabezas, cubos, plastilina, bolas de ensartar... Le ayudarán a desarrollar la motricidad fina.

- Juguetes para disfrutar al aire libre: triciclos, combas, cubos, palas, primeras bicicletas...

- Pinturas, disfraces, máscaras, sombreros: le ayudarán a disfrutar del juego simbólico y representar escenas familiares.

- **Juguetes de arrastre:** camiones, trenes de madera...

- **Instrumentos musicales:** tambores, panderetas (se pueden construir con material reciclado).

- Juguetes para estimular el lenguaje, memoria y capacidad de concentración: juegos de mesa, memos, puzles, juguetes con cuentos...

Además, **tenemos que dejar que se aburran**. No podemos (ni debemos) programar al minuto la vida de nuestros hijos. Debemos **permitir que también se aburran y desarrollen la imaginación**. En palabras de Gregorio Luri:

«En todo el mundo occidental pasa lo mismo: los niños de clase media están demasiado ocupados con actividades extraescolares de todo tipo que los mantienen hiperocupados [...] Hay muchos niños que no saben qué es enfrentarse a un fin de semana sin nada planeado. Precisamente por eso es necesario enseñar a aburrirse y, muy especialmente, hay que enseñarles a convivir con la soledad, haciéndola fértil. La fruición de la soledad exige una práctica, una habituación, una experiencia. Por ejemplo: si todo el mundo enseña a los jóvenes a usar la tecnología, ¿quién les enseña a no usarla?»

2. ¿Debemos comer/cenar con el televisor encendido?

La respuesta es clara: **no**. Debemos aprovechar esos momentos para **compartir en familia, entablar diálogo con nuestros hijos**, etc. El televisor no lo permite, ya que capta nuestra atención y «desconectamos» de quienes tenemos al lado. Aquí hablamos de televisor, pero lo mismo serviría para los teléfonos móviles, tabletas, etc. Puede ser algo en un momento puntual, pero no convertirse en una norma.

Lo ideal es comer en familia. Algunos estudios demuestran que los niños que comen con sus padres se alimentan mejor que quienes comen solos. Toman más frutas y verduras, ingieren más cantidad de vitaminas y minerales, consumen más fibra, poseen mayores habilidades de expresión, establecen relaciones más saludables con los otros y se sienten mejor integrados en su familia.

Pero todos estos beneficios desaparecen cuando entra en escena el televisor. Estos son algunos motivos:

- Si estamos pendientes de la tele **no prestamos atención a lo que comemos**. No apreciamos el sabor de los alimentos ni sus cualidades y, además, perdemos el control sobre la cantidad que ingerimos. En este sentido, el hábito de comer viendo la televisión puede favorecer la obesidad.

- Las familias que comen viendo la televisión **toman menos frutas y verduras**, alimentos que proporcionan fibra, vitaminas y minerales.

- Hablamos **menos** y, si lo hacemos, la conversación se centra en el programa que estamos viendo.

Por este motivo es interesante escuchar la opinión de los profesionales. Tal como explica Griselda Herrero* en su libro *Alimentación saludable para niños geniales* de esta misma editorial, es importante aplicar la **atención plena** a la comida:

«Se conoce como comer con atención plena o *mindful eating*, y consiste en estar totalmente presente en el acto de comer, poniendo todos los sentidos en ello. Nuestra relación con la comida refleja la actitud que tomamos hacia el entorno. No existe una forma correcta o incorrecta de comer, sino diferentes grados de conciencia en el momento de la comida, a los que normalmente no prestamos atención porque estamos pensando en otra cosa, aprovechamos la hora de la comida para responder e-mails o hacer la lista de la compra, o simplemente tenemos nuestra mente alejada de las señales que el cuerpo genera mientras comemos».

Por ello, Griselda nos propone una serie de juegos para poder ponerlos en práctica en familia y que nos ayudarán a tomar una mayor conciencia cuando estemos comiendo: el hambrómetro, juegos de memoria y atención, identificar emociones, comer despacio, etc.

 Nada de comer y cenar con pantallas... Debemos aprovechar esos momentos **para compartir en familia y entablar diálogo con nuestros hijos.**

3. ¿Cómo puedo guardar las pruebas de un problema que estoy sufriendo por internet?

Internet forma parte de nuestras vidas y, tal y como sucede en la vida real, sirve de plataforma para muchas cosas, algunas positivas y enriquecedoras, y otras, no tanto. De hecho, la red se ha convertido en

---

* Griselda Herrero es dietista-nutricionista colegiada y doctora en Bioquímica.

el vehículo favorito de aquellos que quieren cometer algún tipo de delito cibernético, como calumniar, acosar o violar los derechos de la propiedad intelectual, entre otros. Por este motivo debemos estar preparados.

Si recibimos un mensaje ofensivo o alguien publica un comentario, foto o vídeo que nos resulta insultante y queremos denunciarlo o comentarlo con otra persona, debemos aportar pruebas o evidencias de lo que nos está sucediendo.

Por ello, debes **guardar capturas de pantalla** de aquello que te ha resultado molesto, ya sea en el ordenador, en la tableta o en el móvil. En cada dispositivo se realizan de una manera específica; consulta el manual de instrucciones del mismo.

 Nuestros hijos esperan y necesitan **interacción humana**. Hay vida más allá de las pantallas.

5. Pautas de uso
7-11 años

Recomendaciones de 7 a 11 años

Seguimos avanzando. Te presento las recomendaciones y las estrategias a seguir en el siguiente tramo de edad (en este caso entre los 7 y 11 años). En esta franja de edad sigue siendo necesaria una estrecha supervisión para asegurar que están haciendo un uso seguro y responsable, pero a su vez se recomienda ir ampliando los usos y las buenas prácticas asociadas. Damos un pasito más...

Desde la Oficina de Seguridad del Internauta (OSI) nos ofrecen las siguientes recomendaciones:

- **Prepara entornos TIC controlados con conexión a internet.** Prepara los entornos utilizando las soluciones de control parental disponibles en los dispositivos que vaya a utilizar el menor (teléfonos, tabletas, ordenadores, consolas, Smart TV). En caso de dejarle utilizar tu teléfono o tableta, asegúrate de tener activadas las restricciones en los mercados de aplicaciones. Muchos juegos gratuitos permiten realizar compras (comprar vidas extras, mejorar las habilidades de los personajes) y no seríais los primeros padres en llevaros una sorpresa en la factura.

- **Facilítale contenidos de calidad.** Las soluciones de control parental limitarán en gran medida el acceso a contenidos inapropiados. Además, sugiérele contenidos de calidad para su edad que le ayuden a desarrollar sus habilidades, a ser más creativo y participativo.

- **Amplía las buenas prácticas de uso.** Ahora que tiene acceso a internet, además de seguir insistiendo sobre la privacidad, puedes empezar a trasladarle pautas para una navegación segura.

Ayúdale a pensar críticamente sobre lo que encuentra en línea: ni todo es apto para su edad, ni todo lo que se dice es cierto, ni todas las personas son quien dicen ser. También convendría ir introduciéndole en cómo mantener seguros los dispositivos (instalación de programas, contraseñas, antivirus, actualizaciones).

- **Supervisa su actividad y promueve el diálogo.** En la medida de lo posible sigue manteniendo los dispositivos en un lugar central de la casa para supervisar su uso. También puedes revisar los registros de las herramientas de control parental para conocer su actividad en internet (páginas vistas, búsquedas realizadas, etc.). Pero no olvides que una de las mejores formas de ayudar a tus hijos en la red pasa por **compartir actividades y mantener un diálogo constante con ellos.**

- **Continúa estableciendo reglas y límites.** Sigue dejando claros los límites de tiempo para evitar abusos, así como los dispositivos, programas y servicios que pueden utilizar (por ejemplo, todavía son demasiado pequeños para participar en redes sociales como Facebook o Twitter). Puedes apoyarte en herramientas de control parental para asegurarte de que las restricciones se cumplen. También es una buena idea consensuar un pacto familiar donde se reflejen los acuerdos adoptados por ambas partes, a modo de recordatorio.

- **Asegúrate de que solicita tu ayuda.** Hazle entender que en alguna ocasión puede sentirse mal o tener miedo con determinados contenidos y que no es su culpa, por lo que debe decírtelo para poder ayudarle. Trata de no sobreactuar ante un problema, si teme tu reacción puede que la próxima vez intente resolver las cosas por su cuenta.

Juegos y juguetes más allá de las pantallas

Como he destacado en el capítulo anterior, nuestros hijos quieren, esperan y necesitan **interacción humana**. Por este motivo insisto de nuevo en la necesidad de ofrecerles y favorecer un entorno que le permita descubrir cosas por sí mismos.

En esta etapa los momentos de ocio se caracterizan principalmente por la introducción de reglas y por la importancia del juego entre iguales, base fundamental para la socialización.

Hay que destacar también que, como muy bien indica Alicia Banderas, «la etapa del juego simbólico se está acortando. Anteriormente era hasta los 11 o 12 años; ahora, como mucho, la observamos hacia los 8 o 9 años». Lo malo no es solo que desaparezca tan pronto, sino que los sustitutos son las videoconsolas, las tabletas y los smartphones. Por eso cabe recordar que **los dispositivos electrónicos no deberían usarse como un juguete.**

En cuanto a las preferencias de los niños y niñas en esta etapa, destacamos peluches, libros de misterio, complementos deportivos, juegos de preguntas y respuestas, experimentos científicos, disfraces y objetos de fiestas, videojuegos, instrumentos musicales, muñecas, juegos de mesa, juegos de construcciones, maquetas, futbolines, billares, trenes y pistas de coches, etc.

Juguetes recomendados

- De 7-8 años: balones, bicicletas, equipos de deporte, cometas, juegos manuales, trenes y coches teledirigidos, juegos de preguntas y respuestas, de cartas, de experimentos, microscopios.

- De 9-11 años: maquetas, juegos de estrategia y de reflexión (el más clásico es el ajedrez), audiovisuales y electrónicos, de experimentos, complementos deportivos.

No facilitemos el «aislamiento» y la «desconexión de la realidad» regalando únicamente juegos de ordenador o videojuegos: **hay vida más allá de las pantallas**. Sabedores de que está desapareciendo el hábito del juego compartido, incentivaremos la elección de esos juegos que fomentan reunirse con amigos, padres y familiares.

En cuanto a los videojuegos, hemos de tener en cuenta a la hora de elegirlo:

- La temática y los valores que transmiten.
- Que permitan la participación de otros jugadores, facilitando así la socialización del niño y evitando el aislamiento.

Es importante **que jueguen en espacios abiertos**, como parques, plazas, instalaciones deportivas, etc. Al hacerlo, lo habitual es que no jueguen ellos solos, sino que lo hagan con más niños. Aquí se presentan procesos atencionales, de negociación y de aceptación de una serie de normas y reglas previamente pactadas y aceptadas por el grupo: un aprendizaje valiosísimo para el futuro y su vida en sociedad.

Es importante, además, que enseñemos a nuestros hijos a **ser críticos.** Para conseguirlo, **debemos ver la televisión con ellos** y reinterpretar lo que ven: no todo es como nos lo pintan en la tele. Por ello es necesario ir a las jugueterías y ver si coincide lo que han visto en los anuncios con la realidad (con el juguete real).

 Los dispositivos electrónicos no deberían usarse como un juguete.

Huella e identidad digital (II)

En el capítulo anterior te he hablado de la identidad digital. Es necesaria una adecuada gestión de la privacidad, que facilite la creación de una identidad y una reputación de provecho para el desarrollo personal y profesional (futuro) del menor.

Estas son algunas de las recomendaciones que nos ofrecen desde la Oficina de Seguridad del Internauta (OSI):

- Conciénciale de la importancia de una búsqueda de equilibrio entre las virtudes de mostrarse públicamente y sus riesgos.

- Muéstrale la relación entre la sobreexposición de información personal (teléfono, correo, horarios, lugar de residencia, geoposicionamiento, etc.) y sus riesgos asociados (spam, suplantación de identidad, fraudes, acoso, etc.).

- Conoce cómo se representa a sí mismo en las redes sociales y cómo actúa. Intenta que te añada como amigo, pero trata de respetar su espacio. También puedes preguntarle indirectamente qué piensa de la manera en que otras personas se retratan, utiliza noticias reales para preguntarle y escucha sus opiniones.

- Sensibilízale sobre la importancia de pensar antes de publicar. En internet no es posible controlar quién acabará viendo nuestros mensajes (la audiencia) ni eliminar los contenidos una vez publicados, lo que puede tener serias consecuencias para su reputación (por ejemplo, para buscar trabajo).

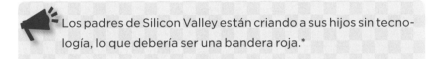 Los padres de Silicon Valley están criando a sus hijos sin tecnología, lo que debería ser una bandera roja.*

- Los padres de Silicon Valley pueden ver de primera mano, viviendo o trabajando en el área de la Bahía, **que la tecnología es potencialmente dañina para los niños.**

- **Muchos padres están restringiendo,** o directamente prohibiendo, el uso de pantallas a sus hijos.

- La tendencia sigue una extendida práctica entre los ejecutivos tecnológicos de alto nivel que **durante años han establecido límites a sus propios hijos.**

Una encuesta de 2017 elaborada por la Fundación de la Comunidad de Silicon Valley descubrió entre 907 padres y madres de Silicon Valley que, pese a una alta confianza en los beneficios de la tecnología, **muchos padres ahora albergan serias preocupaciones sobre el impacto de la tecnología en el desarrollo psicológico y social de los niños.**

«No puedes meter la cara en un dispositivo y esperar desarrollar una capacidad de atención a largo plazo», cuenta a *Business Insider* Taewoo Kim, jefe de ingeniería en inteligencia artificial en la *start-up* One Smart Lab.

---

* https://www.businessinsider.com.au/silicon-valley-parents-raising-their-kids-tech-free-red-flag-2018-2

Antiguos empleados en grandes compañías tecnológicas, algunos de ellos ejecutivos de alto nivel, **se han pronunciado públicamente** condenando el intenso foco de las compañías en fabricar productos tecnológicos adictivos. Las discusiones han motivado nuevas investigaciones de la comunidad de psicólogos, todo lo cual ha convencido a muchos padres y madres de que la mano de un niño no es lugar para dispositivos tan potentes.

«Las compañías tecnológicas saben que cuanto antes logres acostumbrar a los niños y adolescentes a utilizar tu plataforma, **más fácil será que se convierta en un hábito de por vida»,** cuenta Vijay Koduri, exempleado de Google y emprendedor tecnológico, a *Business Insider*. No es coincidencia, dice, que Google se haya introducido en las escuelas con Google Docs, Google Sheets y la plataforma de gestión del aprendizaje Google Classroom.

En 2007 Bill Gates, antiguo CEO de Microsoft, impuso un límite de tiempo de pantalla cuando su hija comenzó a desarrollar una dependencia peligrosa de un videojuego. **Más tarde la familia adoptó la política de no permitir a sus hijos que tuvieran sus propios móviles hasta los 14 años.** Hoy el niño estadounidense medio tiene su primer móvil a los 10 años.

Steve Jobs, el CEO de Apple hasta su muerte en 2012, reveló en una entrevista para el *New York Times* en 2011 que **prohibió a sus hijos que utilizaran el nuevo iPad lanzado entonces.** «En casa limitamos el uso de la tecnología a nuestros niños», contó Jobs al periodista Nick Bilton.

Incluso Tim Cook, el actual CEO de Apple, dijo en enero que **no permite a su sobrino unirse a redes sociales.** El comentario siguió a los de otras figuras destacadas de la tecnología, que han condenado las redes sociales como perjudiciales para la sociedad.

Estos padres y madres esperan enseñar a sus hijos e hijas a entrar en la edad adulta con un saludable conjunto de criterios sobre cómo utilizar y –en ciertos casos– **evitar la tecnología.**

Fomentar la concentración

En el capítulo anterior te he hablado de la importancia de **educar la paciencia**. Como ya he destacado, vivimos en la sociedad de la inmediatez, en la que todo podemos conseguirlo sin esperar (muchas veces a golpe de clic) y esto tiene consecuencias en el terreno educativo. Nuestros hijos han nacido en un mundo regido por la **inmediatez, la impaciencia, la velocidad y la impulsividad** (todo ello amplificado por las nuevas tecnologías). En internet todo es vertiginoso y ocurre a gran velocidad. En ese mundo online todo debe ser publicado u ofrecido a un ritmo trepidante, y en pequeños bloques de información fragmentaria (véase Twitter). Y esto, queramos o no, tiene consecuencias...

Como afirma Elizabeth Kilbey:

> «Los investigadores han demostrado la existencia de un vínculo entre el tiempo de pantalla y la capacidad de concentración, o, mejor dicho, la falta de ella. Un estudio constató que los niños que exceden de las 2 horas recomendadas de tiempo diario ante una pantalla digital tienen una probabilidad de 1,5 a 2 veces mayor de sufrir problemas de atención en clase. El mismo estudio demostró, igualmente, que esos niños presentaban una menor capacidad de autocontrol y tendían a ser más impulsivos».

Preocupante, ¿no crees?

Por este motivo, en esta etapa en la que nuestros hijos empiezan a realizar tareas escolares (deberes, trabajos, estudio, etc.) de manera frecuente, debemos preparar a nuestros hijos para trabajar **su atención, su concentración y su interés** por lo que están haciendo.

Lo que ocurre es que nos encontramos con una serie de «*enemigos tecnológicos*» contra los que hemos de combatir. Por eso es tan importante que dejemos bien claras las normas de uso de cada uno de estos dispositivos: nada de móvil mientras se estudia (silenciar o directamente apagar, alejado del lugar de estudio), el televisor apagado, etc.

Veamos de qué forma les afecta cada uno de estos dispositivos «en acción»:

- **Teléfono móvil.** Responder a los mensajes entrantes les hace retirar su atención de lo que están haciendo para responder de manera inmediata. Esto provoca constantes interrupciones que dificultan reemprender la tarea que se estaba realizando.

- **Televisor.** Tener el televisor conectado mientras se estudia o se hacen las tareas no facilita la concentración, sino más bien todo lo contrario. Lo veremos más adelante en detalle cuando hablemos de la *multitarea*. Por eso no es conveniente que tengan televisión en su habitación lejos de nuestra supervisión.

- **Tableta y ordenador (internet).** Si necesitan el ordenador o la tableta para conectarse a internet y realizar algún trabajo, debemos supervisar que sea así, ya que les puede hacer perder mucho tiempo. A esto hay que añadir que no toda la información que aparece en internet es verídica y está contrastada. Como señala Santigo Moll, «el uso de YouTube para la realización de tareas siempre debe ser controlado, ya que los alumnos pasan muy fácilmente de contenidos educativos a contenidos de entretenimiento».

- **Videoconsola.** Por supuesto, la videoconsola ha de estar lejos de su «zona de trabajo» para evitar distracciones. No es recomendable que la usen en los periodos de descanso mientras están estudiando, ya que afectará a su concentración y les quitará las ganas de seguir con la tarea.

Soy consciente de la dificultad de combatir estos «enemigos distractores» en aquellas casas en la que los niños han de pasar largos periodos de tiempo sin sus padres. Por desgracia, muchas veces la televisión, la tableta o el móvil se acaban convirtiendo en la «niñera» y los niños pasan excesivas horas ante las pantallas.

Además de afectar a la concentración, estos dispositivos también **nos hacen perder tiempo**, porque no todo el tiempo de pantalla es igual, pues tal y como afirma Elizabeth Kilbey, «no nos referimos solo a la cantidad sino a la calidad». Por tanto, podríamos diferenciar entre tiempo de pantalla pasivo (consumiendo contenido digital) y tiempo de pantalla activo/creativo. Veamos algunos ejemplos:

- **Tiempo de pantalla pasivo:** ver la TV, buscar en redes sociales, ver vídeos en YouTube, navegar por la red, etc.

- **Tiempo de pantalla activo/creativo:** escribir en un blog, programar, hacer fotos y editarlas, crear una animación y subirla a YouTube, etc.

Lo ideal sería que consumieran **menos tiempo de pantalla pasivo y más activo o creativo**, aunque siempre dentro de unos límites y control por parte de los padres. Citando a la Dra. Lluïsa Colomer:

«El uso de dispositivos electrónicos en edades precoces pueden favorecer una imagen distorsionada de la realidad y atrofiar nuestras capacidades creativas, de escucha, de conexión interior, de conexión con la realidad y de crecimiento interno. Cada minuto de pantalla resta fortaleza interior a nuestros hijos, y más cuanto más pequeño sea el niño».

Pautas y consejos prácticos para fomentar la paciencia y la concentración en los niños (por Alicia Banderas*, resumen)

¿Cuántas veces interrumpes alguna actividad o tarea en la que tu hijo está concentrado? Si tu respuesta es «¡muchas veces!» o lo que le dices es muy parecido a lo que Lola le dice a su hijo Alberto («¡Venga rápido! ¿Quieres acabar ya de una vez? Llevas media hora...), entonces reflexiona sobre ello.

Estas son algunas pautas para fomentar la paciencia y la concentración de tus hijos:

---

* Banderas, A., *Niños sobreestimulados*, Libros Cúpula, 2017.

- Cuando tu hijo esté concentrado en una actividad, antes de interrumpirle valora si es real importante lo que le vas a decir o preguntar en ese momento, o si puede esperar.
- Respeta su ritmo, aunque a veces le puedas guiar y darle avisos para acelerar el tiempo que está invirtiendo en una tarea. Si ya sabes que vais a hacer algo a una hora determinada (ir de visita al pediatra, por ejemplo), avísale con tiempo para que pueda gestionarse el suyo.
- Esta manera de aprender a gestionar cada uno su tiempo (adultos y niños) tiene que ser pactada con anterioridad, para que tu hijo sepa que esta será la forma de actuar a partir de ahora. Así dejaréis de tener esas etiquetas a vuestras espaldas que tanto os perjudican a ambos: tú dejarás de ser un pesado o pesada, y tu hijo o hija, lento o lenta.
- Es importante que respetes su autonomía. Si quiere hacer las cosas «él solito», permite que lo haga. Puedes ayudarle a vestirse, por ejemplo, pero guiándole para que lo haga él mismo.
- Permítele que descubra lo que más le gusta.

 Los padres preguntan

1. ¿Cuál es el peligro de la multitarea? ¿Cuáles son sus efectos negativos?

Quizás el peligro más grande de la multitarea es que nos hemos creído capaces de ser (y que nuestros hijos lo son) *multitarea* olvidando que realizar varias tareas de manera simultánea **nos impide poner el foco en lo que realmente estamos haciendo.** De hecho, podríamos destacar que el concepto multitarea es erróneo porque no estamos capacitados para realizar más de una tarea a la vez.

Como muestra, un ejemplo muy típico. Tu hijo se sienta a hacer las tareas del cole y al mismo tiempo que está haciendo los deberes tiene la música puesta, el televisor en marcha, el móvil encima de la mesa (al que le llegan WhatsApps de forma continua), etc. ¿Crees que estará realmente concentrado en lo importante? ¿Podrá poner el foco y su atención en los deberes? Efectivamente, la respuesta es no.

Según investigaciones realizadas por la Universidad de Stanford*:

«Las personas que son bombardeadas continuamente con varios flujos de información, es decir, que están haciendo multitarea constantemente, les cuesta más prestar atención, recordar información o cambiar de una cosa a otra. Les cuesta más que a los que hacen una tarea a la vez».

Interesante, ¿no crees?

Por esto, la multitarea tiene múltiples efectos negativos. Veamos algunos de ellos:

- **Nos resta productividad.** Tardamos más tiempo en acabar dos tareas o proyectos si estamos continuamente saltando de uno a otro que si nos centramos en uno cada vez.

- **Cometemos más errores** cuando estamos cambiando todo el rato de una tarea a otra, y más aún si son complejas y requieren concentración.

- **Nos genera mayor estrés.**

- **Nos perdemos muchas cosas** que ocurren a nuestro alrededor.

---

*   https://news.stanford.edu/news/2009/august24/multitask -research-study-082409.html

2. ¿Qué efectos negativos tiene esta «intoxicación tecnológica» en nuestros hijos?

Esta saturación tecnológica y estar permanentemente «conectados» tiene muchos efectos negativos sobre nuestros hijos, y los padres no somos demasiado conscientes de ello. Hay casos en que el tiempo que dedican a estar delante de las pantallas es superior al que dedican al sueño y el descanso. Preocupante.

Por lo general, estar conectados (móvil, tableta, televisión, videoconsola, etc.) les impide moverse y realizar ejercicio físico, hecho que fomenta el sedentarismo y la pasividad. Por eso es necesario que les motivemos a jugar a juegos tradicionales y al aire libre, es decir, a estar en contacto con más niños. Esto les ayuda a relacionarse «cara a cara», aprender a resolver conflictos, buscar soluciones a los problemas que se les plantean, etc.

No hay nada que me enfade más que cuando veo a cuatro o cinco niños juntos en la calle todos mirando las pantallas de su móvil sin tener ningún tipo de interacción entre ellos (al menos no una interacción real más allá de los emoticonos de sus pantallas). Pero esto no solo ocurre con niños...

Además, hemos de tener en cuenta que esta hiperconexión les impide trabajar(se) la paciencia, tener momentos de soledad (siempre tienen que estar respondiendo mensajes), aburrirse, etc.

Y es necesario que lo hagan. Pues, como indica Alicia Banderas:

«No hay artista o científico que no haya pasado en el proceso de sus creaciones por sentirse solo, o que no haya necesitado tener paciencia en lo que realiza, concentrarse durante mucho tiempo en una tarea, dejarla reposar, a fuego lento... y volver a retomar para reflexionar, razonar o dejarse llevar. Y por supuesto, perseverar y no rendirse».

Mientras escribo estas líneas en mi ordenador, tengo todas las notificaciones apagadas y mis redes sociales lejos de mi alcance... Necesito poner el foco en lo que estoy haciendo y escribiendo. Estoy convencido que si tuviese el móvil cerca restaría mi productividad y atención porque no dejaría de mirarlo para ver si me llega algún tipo de notificación. Me haría perder muchísimo tiempo. Y si esto me ocurre a mí, ¿cómo no les va a ocurrir a nuestros menores, que tienen una menor capacidad de control? Hablaremos más adelante en detalle de los peligros de la adicción a la tecnología. Y aquí somos los adultos los primeros que debemos dar ejemplo.

3. ¿Ayuda la tecnología a mejorar las capacidades intelectuales de nuestros hijos?

No me gusta demonizar la tecnología, sino más bien todo lo contrario, pues debemos aprovechar todo lo bueno que nos ofrece. Ya he destacado en el segundo capítulo algunos ejemplos positivos de la misma que nos pueden servir de «palanca» para mejorar y cambiar el mundo, y al final del libro encontrarás más.

Ahora bien, no pretendamos justificar el tiempo de exposición a las pantallas de nuestros hijos argumentando que es para usar aplicaciones y juegos «educativos». Una encuesta realizada en Estados Unidos estableció que menos de la mitad del tiempo que los niños entre 2 y 10 años de edad pasan frente a una pantalla se dedica en realidad a la interacción con contenido «educativo».

Además, durante ese «tiempo de pantalla educativo» los niños están siendo mentalmente intoxicados y saturados de información, lo que les impide resolver situaciones y problemas por ellos mismos. Por este motivo es importante que nuestros hijos dediquen tiempo a buscar información, contrastarla, buscar soluciones, etc.

Esto requiere tiempo y paciencia, algo que están perdiendo, porque todo lo encuentran a golpe de clic. Como bien señala Elizabeth Kilbey:

«El aprendizaje por medio de dispositivos digitales lleva implícito el hecho de que los pequeños no abordan ni resuelven las cuestiones por sí mismos. Nunca experimentan por sí mismos ese momento en el que se enciende la bombilla. Deducir las cosas uno mismo es una parte importante del aprendizaje. A veces supone un duro esfuerzo, pero enseña a los pequeños a tener paciencia y determinación hasta llegar al objetivo».

Me gusta cómo define la situación José Antonio Marina con otras palabras pero de una manera clara y directa:

«Un burro conectado a internet sigue siendo un burro. Los estudiantes deben saber cosas para aprovechar la riqueza de posibilidades que da internet. Si no saben nada, no encontrarán nada. [...] Si se incentiva el uso del ordenador en detrimento de la memoria, esta se devalúa por lenta, y sin memoria se limita la inteligencia del ser humano: la memoria es como un pulpo. Cada cosa nueva que se aprende es un tentáculo más que te permite agarrar otras ideas».

Te recomiendo encarecidamente que dejes de leer y veas el famoso vídeo viral de Simon Sinek sobre los *millenials* que puedes encontrar en YouTube.* En ese mismo vídeo destaca:

---

*   https://www.YouTube.com/watch?v=YwM-U5z2N3c

«No tienes que aprender los mecanismos sociales de supervivencia. Todo lo que quieres lo puedes obtener instantáneamente con un clic. Recompensa instantánea…, excepto satisfacción en el trabajo y fortaleza en las relaciones. No hay apps para eso: son procesos lentos, serpenteantes, incómodos, desordenados…»

Me sigo encontrando a estos chicos maravillosos, fantásticos, idealistas, trabajadores, recién graduados, en su primer empleo y les pregunto: «¿Cómo va todo?» Y me contestan: «Creo que lo voy a dejar». «¿Por qué?», les pregunto. «No estoy logrando ningún impacto», contestan. «¡Llevas aquí ocho meses!». Es como si se pararan ante la montaña antes de subirla y con ese concepto abstracto llamado «impacto» –que es algo así como la cumbre– delante, y lo que no ven es la montaña. No importa si subes la montaña rápido o lento, pero hay que subirla para llegar arriba. No hay atajos.

Tienen que aprender la paciencia. Tienen que aprender que las cosas que de verdad importan, como el amor, el trabajo, la alegría, el amor por la vida, la autoestima…, en definitiva todo lo importante, lleva tiempo. A veces avanzas un trozo, pero el viaje completo es arduo, largo, difícil. Y si no buscas ayuda en los demás, aprendes las habilidades sociales necesarias y adquieres virtudes, caerás montaña abajo.

El peor de los escenarios, que ya se está viendo, es el incremento de suicidios, de muertes accidentales por sobredosis, de abandono escolar, de depresiones… Inaudito. Realmente alarmante. En el mejor de los escenarios –todos son malos– tenemos a una población entera creciendo y yendo por la vida sin alegría. Nunca encontrarán realización profunda en su trabajo o en la vida. Pasarán diciendo que todo está bien. «¿Cómo va el trabajo?» «Bien, igual que ayer». «¿Y cómo va tu relación?» «Bien…». Ese es el mejor de los escenarios.

6. Pautas de uso 12-16 años

Recomendaciones de 12 a 16 años

Y llegamos a la última etapa, **la temida adolescencia**. Como ya apunté en el libro sobre la adolescencia de esta misma colección, me parece importante incidir en la normalidad de esta etapa: consideremos normales los cambios que se producen en ella y ayudemos a nuestros hijos a afrontarlos con responsabilidad. Quizá lo que más precisan de nosotros en ese momento es comprensión.

Muchos padres y madres hablan de la adolescencia en términos negativos, dramáticos y catastrofistas. La suelen definir como una etapa en la que tenemos que sufrir (y no disfrutar). Yo opino todo lo contrario: es una etapa que también se puede y se debe disfrutar.

Los padres tenemos que apreciar esta etapa como una verdadera oportunidad. Debemos tener presente que solo podremos entender la adolescencia si no la vemos como una «etapa aparte», sino como un periodo en donde se manifiesta lo que el niño ha recibido en su infancia. Por tanto, la forma en que hemos educado a nuestro hijo y aquello que le hemos ofrecido cuando era solamente un niño determinará su forma de actuar y comportarse en la adolescencia. En términos generales, un buen niño será un buen adolescente, aunque también rebelde y distante –características propias de esta etapa–. Pero al mismo tiempo nos van a necesitar a su lado. Nos toca, pues, reflexionar sobre el modo en que estamos ejerciendo la paternidad no solo en esta etapa, sino en las que la preceden.

En cuanto al uso de la tecnología, desde la Oficina de Seguridad del Internauta (OSI) nos ofrecen las siguientes recomendaciones:

En esta etapa comienzan a utilizar internet de forma intensiva: despiertan su interés las redes sociales, demandan un móvil propio y están fascinados con los juegos en línea. Una etapa perfecta para que desarrollen las habilidades necesarias para tomar decisiones de forma independiente, pero siguiendo muy de cerca sus evoluciones.

- **Facilítale entornos TIC controlados pero cada vez más abiertos.** Continúa con entornos controlados que minimicen los riesgos, prestando especial atención a los controles parentales de teléfonos móviles y consolas, pero ten en cuenta que a estas edades los chavales cada vez serán más celosos de su intimidad, por lo que es probable que se empiecen a generar conflictos en relación al uso de los controles parentales (bloqueos de páginas a las que quieren acceder, malestar al saber que están siendo vigilados, etc). En este sentido, y en función de la madurez del menor y de las responsabilidades que asuma, se recomienda ir eliminado poco a poco las restricciones.

- **Elige videojuegos adecuados a su edad.** Las normas PEGI te ayudarán a seleccionar los videojuegos más adecuados para tu hijo, en función de la edad a la que van dirigidos y del tipo de contenido que muestran. A su vez, las consolas más modernas disponen de controles parentales que permiten bloquear los juegos que no cumplan con los criterios que hayamos establecido (por ejemplo, no permitir juegos de contenido violento o para +14 años). Acuérdate de acompañarle de vez en cuando en alguna partida para conocer el ambiente en el que se mueve.

- **Insiste sobre las buenas prácticas de uso.** En esta franja de edad ya debe tener una idea clara de las pautas necesarias para una navegación segura: comportarse en línea (netiqueta), gestionar adecuadamente su privacidad e identidad digital, protegerse ante virus y fraudes, y la seguridad de los dispositivos. En este sentido, convendría reforzar ciertos mensajes, como ser respetuoso con los demás, pensar antes de publicar y ser selectivo con los contactos en línea.

- **Haz hincapié en el respeto a los demás.** Los adolescentes no siempre son conscientes del daño que pueden ocasionar a un amigo o compañero con una «simple broma». El supuesto anonimato de la red y la dificultad para percibir el daño causado desde la distancia física que interpone internet, propician que los adolescentes en ocasiones actúen de manera impulsiva sin pensar en las consecuencias. Por esta razón, es necesario hacerle ver que en internet, al igual que en la vida real, debe respetar al resto de usuarios para mejorar la convivencia.

- **Ten criterio al dar acceso al primer móvil.** Como padres os toca resistir a la presión de «soy el/la único/a de clase que no tiene móvil» y evaluar la conveniencia de dárselo en función de su madurez y responsabilidad. Tened en cuenta que un móvil dificulta en gran medida la supervisión parental. Si así lo decidís, es momento de hablarle sobre los riesgos asociados (pérdida del terminal con toda la información dentro, cámara web integrada), de un uso y un consumo responsable, de consensuar unas normas de uso, etc.

- **Supervisa su actividad y refuerza el diálogo.** Llegará un día en el que no podrás apoyarte en los registros de las herramientas de control parental para supervisar su actividad, por lo que deberás seguir reforzando el diálogo como elemento esencial para la prevención y la supervisión. Preguntas del tipo «¿Qué hacen tus amigos en internet?» o «¿Cuáles son los sitios web de moda?» te ayudarán a conocer su actividad en línea. Aprovecha las noticias sobre riesgos en internet para sacar el tema y preguntarle por su opinión. Pedirle su ayuda ante un problema o compartir actividades también ayudarán a que la conversación sea más fluida.

- **Adapta las normas de forma consensuada.** Ve adaptando las reglas y límites establecidos en función de la confianza que te genere tu hijo. Para que las normas sean respetadas, es conveniente que no se impongan, sino que sean de mutuo acuerdo. Si no las acepta de primeras, será necesario negociar hasta conseguirlo. Ten una especial dedicación para establecer normas en el uso del teléfono móvil.

- **Deja que empiece a resolver algunas situaciones conflictivas por sí mismo.** Debe empezar a saber cómo desenvolverse de forma autónoma en algunas de las situaciones (gestionar un enfado en el grupo de WhatsApp de amigos, saber trasladar su rechazo o malestar de forma asertiva ante un comentario malintencionado), pero dejándole claro que puede contar contigo en caso de que algo le haya hecho sentir mal.

A partir de los 14 años...

A esta edad cada vez te resultará más complejo mediar en sus actividades en línea. Tu hijo se encuentra en plena adolescencia, conformando su identidad personal, y lo más normal es que se esfuerce en marcar distancias con sus padres. Cada vez más, debéis empezar a confiar en lo que le habéis enseñado, pero asegurándoos de que se preocupa por mantenerse a salvo. Los adolescentes necesitan saber cómo minimizar los riesgos en línea, cómo detectar una situación potencialmente peligrosa y cómo implementar mecanismos de respuesta en caso de verse involucrados en un incidente. A destacar:

→ El uso responsable de las redes sociales. Es la franja de edad en la que legalmente pueden empezar a utilizar servicios de la red, como las redes sociales o los servicios de mensajería instantánea. Las redes sociales son fundamentales para su sociabilización, pero también son un entorno propenso para la propagación de virus y fraudes, los abusos y los comportamientos inadecuados. Asegúrate de que sabe manejarse de manera responsable en las redes sociales: tiene un juicio crítico con la información que consume y aprende a contrastar la información, gestiona adecuadamente su privacidad y la de terceros, tiene buena educación y respeto en el trato con los demás, es precavido con los contactos con desconocidos, conoce los mecanismos de seguridad (opciones de privacidad, como denunciar contenidos y perfiles maliciosos), etc.

En el siguiente apartado abordaremos con mayor profundidad el tema de las redes sociales en esta etapa.

 Adecúa las reglas dejándoles mayor libertad y respetando su privacidad y autonomía. Además, presta atención al uso abusivo, especialmente del móvil.

¿Amigos? Conectados pero solos

Así es como se encuentran muchos de nuestros adolescentes: conectados pero solos. Un ejemplo de ello lo tenemos en las llamadas «reuniones silenciosas». ¿Has visto alguna vez un grupo de adolescente sentados en un banco pero incapaces de mirarse a la cara? Están físicamente ahí pero se están comunicando a través del smartphone...

Los seres humanos somos ante todo **seres sociales**. Eso, en definitiva, quiere decir que tenemos la necesidad de relacionarnos con los demás. Por este motivo las redes sociales son instrumentos que nos permiten conectarnos y relacionarnos con otras personas que están a miles de kilómetros de distancia. Pero, ¿nos acercan a estas personas y nos alejan de los que tenemos cerca? Es para reflexionar sobre ello (tanto nuestros adolescentes como nosotros mismos).

Además, tal y como se cuestiona Alicia Banderas:

«¿Realmente se relacionan con los demás o con uno mismo? ¿Se trata de una herramienta para la relación social o para la relación con uno mismo? Lanzo esta reflexión porque algunos jóvenes en la actualidad se muestran tremendamente narcisistas. Sienten la necesidad de exhibir su imagen en todas partes y cuanto más, mejor».

Por eso es tan importante que trabajemos con nuestros hijos el concepto «amistad». Tener 2.000 amigos en Facebook no es tener 2.000 amigos. Hay que saber diferenciar muy bien los «amigos» en el mundo virtual de los amigos de verdad...

La amistad es un valor fundamental que debemos cultivar y transmitir a nuestros hijos. Hacer amigos va más allá de tener compañía y estar bien; al niño le aporta seguridad y le ayuda a conocer mejor a los demás y a sí mismo, a superar el egocentrismo y, sobre todo, a aprender algo que es muy importante y le será útil toda la vida: saber esperar, cooperar, compartir y respetar los sentimientos de los demás.

Podemos plantear a nuestros hijos una serie de preguntas para que reflexionen sobre el tema:

- ¿Cuántas horas al día dedicas a utilizar la red social?
- ¿Son tan importantes tus amigos en la red social como en la vida real? ¿Por qué?
- ¿A quién no añadirías jamás en tu red social? ¿Por qué?
- ¿Para qué utilizas las redes sociales?
- ¿Has subido alguna vez fotos a la red social? ¿Para qué?

 ¿Las redes sociales nos acercan a los que tenemos lejos y nos alejan de los que tenemos cerca?

Estudiar con el móvil cerca

M ás de la mitad de los jóvenes (un 59 %) tiene el móvil en la mesa mientras está estudiando y dos de cada tres lo consultan cada hora, el 27 % de los jóvenes lo guarda para evitar mirarlo y solo un 14 % lo apaga para centrarse en el estudio. Estos son algunos de los datos que ha revelado un estudio que ha realizado Worten a jóvenes de entre 18 y 24 años acerca de los hábitos que siguen con los dispositivos móviles cuando están estudiando tanto en clase como fuera de ella.

Como ya he comentado en el capítulo anterior, nos hemos creído que nuestros hijos son *multitarea*, olvidando que realizar varias tareas de manera simultánea **nos impide poner el foco en lo que realmente estamos haciendo.** De hecho, podríamos destacar que el concepto multitarea es erróneo porque no estamos capacitados para realizar más de una tarea a la vez.

Por eso, cuando los padres me preguntan: ¿puede estudiar con el móvil cerca?, mi respuesta es rotunda: no. Cuanto más lejos, mejor para evitar tentaciones y distracciones...

En este caso insisto otra vez en la importancia del ejemplo: ¿qué hacemos nosotros con el móvil cuando estamos trabajando e intentando mantener nuestra concentración en la tarea que estamos haciendo?

Recordemos algunos efectos negativos de la multitarea:

- Dificultad para mantener la atención y bajo rendimiento en el trabajo.
- Posposición de las tareas importantes.
- Visión superficial de aquello que está leyendo sin una comprensión profunda.
- Dificultad para focalizar la atención.
- Dificultad para aplazar la recompensa.

Decálogo para familias de niños y adolescentes con móvil nuevo (por Guillermo Cánovas)

- **Instala previamente un antivirus.** Es tan importante tenerlo en el móvil o la tableta como en el ordenador.

- **Activa una contraseña** en el terminal para controlar la descarga de aplicaciones o la realización de compras. Solo tú debes conocer dicha contraseña.

- **Enséñales a cuidar su privacidad** poniendo con ellos otra contraseña para desbloquear la pantalla.

- **Controla el tiempo de uso del móvil o tableta.** Deben saber cuánto tiempo pueden utilizarlos y en qué horarios. Establece una diferencia clara entre el uso semanal y de fin de semana.

- **Delimita espacios y momentos en los que no se permita su uso:** durante las comidas y las cenas, en reuniones familiares... Y no permitas su uso en habitaciones con la puerta cerrada, como cuartos de baño.

- **Si tienen un perfil en una red social, repasa con ellos** y con frecuencia tanto el nivel de privacidad como los amigos, contactos o seguidores que tengan.

- **Presta atención a las fotos que suben.** Acostúmbrales a consultar antes de subir una foto en la que ellos aparezcan y adviérteles sobre la necesidad de respetar la privacidad de otros no subiendo fotos sin autorización de sus padres (obligatorio para los menores de 14 años).

- **Lee con ellos las condiciones de uso** y permisos que solicita cada aplicación que quieran descargarse, para que tomen conciencia de los datos e información personal a los que pueden acceder las distintas apps.

- **Explícales la importancia de no conectarse a redes gratuitas y desconocidas** sin haber verificado antes qué entidad es la responsable de dicha red.

- **Utiliza sistemas de control parental** que le eviten el acceso a contenidos dañinos e inadecuados.

Los padres preguntan

1. ¿Qué hacemos con nuestros hijos y las pantallas en verano?

El verano es la época por excelencia para hacer un parón con nuestra rutina diaria y tomarnos un merecido descanso, dejando a un lado nuestras obligaciones y olvidándonos del reloj y la agenda. Además, es la época en la que los padres suelen tener más tiempo para estar con sus hijos, a los que solo ven unas horas durante el curso escolar.

Es tiempo de maletas, desplazamientos, salidas... y, por fin, llegada al destino tan ansiado todo el año. Pero, sorpresa: «¡Mamá, aquí no hay conexión a internet!». Una frase que puede acabar con la armonía familiar y convertir las vacaciones en una auténtica pesadilla. De hecho, ya nos estamos encontrando situaciones en las que los hijos eligen dónde ir de vacaciones en función de si hay conexión a internet o no (debido a lo que ya hemos comentado, el FOMO o miedo a perderse algo mientras no están conectados). Por este motivo es recomendable programar su día a día. Te ofrezco algunas ideas:

- Debemos establecer un calendario (horario) de manera conjunta con nuestros hijos para distribuir las actividades que van a realizar durante el verano. Hay tiempo para todo, aunque hemos de ser flexibles.

- Debemos aprovechar el verano para dedicar tiempo a la familia, a cultivar un mayor contacto padres-hijos del habitual.

- Tenemos que «desenganchar» a nuestros hijos de pantallas (móviles, televisión, internet...) y fomentar actividades al aire libre que durante el curso no pueden desarrollar (piscina, playa, actividades en familia, campamentos...).

- Deben tener tiempo para la lectura que ellos escojan y con un horario flexible.

- Hay que tener en cuenta que donde mayor conflicto puede surgir es en el tema de los horarios.

- Podemos negociar algunas normas y ver si las van cumpliendo, y así mantenerlas o ir modificándolas.

Los expertos señalan que muchos padres, en su ánimo de descansar, comer tranquilos, poder dormir una siesta y, en definitiva, **no aguantar pataletas de sus hijos, optan en estas fechas por el cómodo recurso de ponerles un teléfono móvil en sus manos. Gran error.**

2. ¿Podemos espiar el móvil de nuestros hijos?

Como ya he señalado en el capítulo 2, nuestra función no es la de espiar, sino la de **supervisar**, pero hay padres que espían el móvil de sus hijos y lo reconocen abiertamente. Otros lo hacen a escondidas pero no se atreven a decirlo. ¿Es correcto espiar los mensajes que envían nuestros hijos por internet? Es una pregunta bastante común que nos llega a nuestra Escuela de Padres. Es normal, ya que los hijos pasan mucho tiempo «conectados» y es lógica la preocupación de qué harán, con quién contactarán, etc.

Según se destaca en la Ley Orgánica 1/1996 de protección jurídica del menor, «los menores tienen derecho al honor, a la intimidad personal y familiar y a la propia imagen. Este derecho comprende también la inviolabilidad del domicilio familiar y de la correspondencia, así como del secreto de las comunicaciones».

Pero si corre un grave riesgo, ¿hasta dónde puede inmiscuirse un padre en la intimidad de un hijo menor? **¿Hasta dónde llegan los deberes de los progenitores como titulares de la patria potestad?** Esta, reconocida en el artículo 154 del Código Civil, se ejerce «en beneficio de los hijos» y comprende el deber de «velar por ellos, tenerlos en su compañía, alimentarlos, educarlos y procurarles una formación integral». Como señala Ether Arén*:

> «Ante un peligro que pueda sufrir un menor de 14 años o un adolescente entre 14 y 18, prevalece el derecho del padre a velar por su hijo y a garantizar su integridad física y psicológica. Si un padre mira el móvil a su hijo porque sospecha que está siendo víctima de un pederasta o acosado por parte de sus iguales, un fiscal no va a actuar contra él porque, como padre, su función es proteger a su hijo. Y en esto los padres no deben tener miedo».

3. ¿Cómo puedo hablar de sexting con mis hijos?

En el próximo capítulo te hablaré de uno de los grandes peligros del mal uso de la tecnología: el sexting. Se trata del envío de contenidos de tipo sexual (fotos o vídeos) a través del teléfono móvil o de otro dispositivo tecnológico. Cuando intervienen menores, se convierte en un problema grave. No solo puede ocasionar estrés emocional grave para aquellos cuyas fotos puedan ser vistas o difundidas sin su consentimiento, sino que puede desencadenar consecuencias legales significativas para ambos, el menor de edad que las envió y los que las reciben.

¿Cómo podemos hablar de ello con nuestros hijos adolescentes? La American Academy of Pediatrics (AAP) ofrece los siguientes consejos para hablar con ellos sobre este tema:

- **Habla con tus hijos, incluso si el tema no ha impactado directamente a su comunidad.** «¿Has oído hablar del sexting? Dime de qué crees que se trata». Para el inicio de la conversación, es importante saber primero cuánto sabe tu hijo al respecto y añadir a esto una explicación que sea apropiada para su edad.

---

* https://www.abc.es/familia/padres-hijos/abci-hasta-donde-puede-llegar-padre-vigilar-hijo-redes-sociales-o-whatsapp-201512300155_noticia.html

- **Utiliza ejemplos que sean apropiados para la edad de tu hijo** cuando ofrezca información y guía. Para los niños más pequeños que tienen teléfonos móviles y que aún no saben sobre el sexo, adviérteles de que los mensajes de texto no deben contener imágenes de personas —niños o adultos— sin ropa, dándose besos o tocándose sus partes íntimas. Con los niños mayores, utilice el término «sexting» y pregúntales si han sido expuestos a imágenes desnudas o semidesnudas o de actos sexuales, tales como liarse, besarse o más.

- **Sé específico, en especial con los adolescentes, que el sexting involucra fotografías de naturaleza sexual (erótica), tales como fotos de desnudos o semidesnudos en actividades de tipo sexual.** Algunos de estos pueden ser considerados pornografía o pornografía infantil. Tanto el que las envía como los que las reciben pueden ser condenados.

- **Asegúrate de que los niños de todas las edades entiendan que el sexting es algo grave** y considerado un delito en muchas jurisdicciones.

- **Informa a tus hijos de que los mensajes de texto, las imágenes y los vídeos pueden permanecer en internet para siempre,** incluso si se publican con aplicaciones/programas que las permiten «borrar» un momento después. Los que las reciben también pueden difundirlas o compartirlas con otros, con frecuencia sin el consentimiento del que la envió, y a veces se «vuelven virales».

- **Estate atento a los encabezados y las noticias sobre el sexting** que ilustren las consecuencias reales que acarrean para los remitentes y los que reciben estas imágenes. «¿Has visto esta historia?», «¿Qué piensas sobre esto?», «¿Qué harías si fueras tú este niño?»

- **Estate alerta si envía mensajes de texto excesivamente,** ya que esta práctica está ligada con el aumento en la probabilidad de estar enviando o recibiendo textos con contenido sexual.

7. Peligros de las tecnologías

El ordenador nació para resolver problemas que antes no existían.

BILL GATES

Como has podido comprobar a lo largo del libro, las nuevas tecnologías han llegado para quedarse. Nos facilitan muchos aspectos de nuestras vidas si hacemos un buen uso de ellas: trabajo, ocio, comunicación, etc. Pero cuando estas se convierten en un fin y no en un medio, tenemos un problema. Como comenta Javier Urra:

> «Hay adolescentes obsesionados por adquirir las últimas novedades, otros viven una vida virtual con otra identidad en las redes sociales, o les generan dependencias, y en otros casos el contenido que ven es en sí mismo un riesgo, como violencia, pornografía, racismo... (o la interacción de sexo y violencia, explosiva)».

En el presente capítulo vamos a ver y a analizar los peligros y riesgos de la tecnología. Esto nos ayudará a tomar conciencia y prepararnos para llevar a cabo una correcta supervisión de lo que nuestros hijos hacen en internet, el uso que dan a sus móviles, etc. Dejamos a un lado expresiones como «A mí eso no me va a pasar» y pongámonos en marcha con todas las herramientas que te he ido ofreciendo a lo largo del libro y todas las que nos quedan por ver a continuación.

Adicción a las nuevas tecnologías, un problema actual

Podemos hablar ya de una nueva adicción: a las nuevas tecnologías. Tal es así, que el Ministerio de Sanidad ha incluido por primera vez en 2018 las adicciones a las nuevas tecnologías en el Plan Nacional de Adicciones.

Los expertos advierten que **es necesario distinguir entre un uso irresponsable y una «adicción comportamental»**. Esta responde a los mismos parámetros que las adicciones a sustancias: necesidad cada vez de más consumo para obtener satisfacción, agresividad en abstinencia, alteración de los hábitos del sueño y de la alimentación, y aislamiento y pérdida de la vida familiar, profesional y educativa.

Según un estudio de Echeburúa y Corral (2009), los síntomas que podrían ser considerados indicativos de posibles problemas de adicción son:

- El alivio que genera el uso de los distintos dispositivos tecnológicos.
- Malestar si no pueden utilizarse.

Otros asociados son:

- Fracaso en el intento de control de uso.
- Dificultad para desconectarse.
- Mayor dedicación del tiempo previsto.

Según los mismos autores, los factores psicológicos de predisposición son:

- **Variables de personalidad:** impulsividad, búsqueda de sensaciones, autoestima baja, intolerancia a los estímulos displacenteros y estilo de afrontamiento inadecuado de las dificultades.

- **Vulnerabilidad emocional:** estado de ánimo distrófico, carencia de afecto, cohesión familiar débil y pobreza de relaciones sociales.

¿Por qué es tan adictivo el uso de dispositivos con pantalla?

Los estudios científicos han constatado que el uso de videojuegos hace que el cerebro libere dopamina, una de las denominadas «hormonas del placer», que estimula el sistema de recompensa del cerebro. El doctor Peter Whybrow, director del Departamento de Neurociencia de la Universidad de California, define los dispositivos de pantalla como «cocaína electrónica».

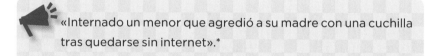
«Internado un menor que agredió a su madre con una cuchilla tras quedarse sin internet».*

Pasaba horas y horas delante del ordenador jugando a videojuegos y quedarse sin conexión a internet fue más de lo que podía soportar. Esa es la aparente explicación de la **última agresión** de un hijo a sus progenitores, un adolescente de solo 14 años que atacó a su madre y le clavó en la mano una cuchilla tras decirle esta que no podía ayudarle a recuperar la conexión y que tenía que marcharse.

Ha sucedido en Granada y el menor ha sido ya ingresado en un centro de internamiento por orden judicial, donde va a ser examinado por especialistas para someterle a tratamiento ante lo que, desde el juzgado y desde la propia Junta de Andalucía, consideran un problema de adicción a las nuevas tecnologías.

Según la información que ha trascendido, y que adelantó el diario local *Ideal*, la agresión tuvo lugar el pasado miércoles, cuando se produjo una avería en la conexión de la vivienda a internet a consecuencia de la cual quedó interrumpido el juego online en el que participaba, como hacía frecuentemente, el chaval.

---

* http://www.elmundo.es/andalucia/2018/01/19/5a61e364268e3ed4388b47bf .html

Desesperado, acudió en busca de ayuda a su madre, a la que rogó que hiciera algo para restablecer la conexión. Pero la mujer le dijo que no sabía qué hacer y que, además, tenía que marcharse de la casa en ese momento. En ese momento, el joven perdió el control y le clavó la cuchilla en la mano.

El menor fue puesto al poco tiempo a disposición de la Fiscalía de Menores de Granada y fue entonces cuando se vino abajo y se mostró arrepentido al darse cuenta del alcance y la gravedad de sus actos, pero tanto el juez como el fiscal presentes entendieron que lo mejor para él no era regresar a casa y se acordó su traslado, de manera cautelar, a un centro de internamiento.

El objetivo es que en ese centro pueda, primero, ser diagnosticado de lo que parece una clara adicción y, segundo, recibir cuidados especializados para que la supere.

Pero el caso de este adolescente, pese a ser muy llamativo, no es nuevo. Ni por el hecho de que haya agredido a su madre ni por el tipo de adicción que pone de manifiesto. De hecho, en los juzgados de Granada se han multiplicado en los últimos años los asuntos protagonizados por jóvenes o adolescentes adictos a los videojuegos.

Hace un par de años, incluso se difundió el caso de un menor que había pegado una paliza a su madre, que era ciega, a quien le rompió la nariz por haberle quitado el ordenador. El agresor llevaba prácticamente tres meses sin dormir enganchado a un juego en red.

¿Cómo puedo saber si mi hijo usa adecuadamente sus dispositivos o es adicto a ellos?

Según un estudio reciente de la Universidad de Michigan*, «Development and validation of the problematic media use measure: A parent report measure of screen media "addiction" in children», publicado en la revista de la American Psychological Association:

> «Es más importante saber cómo utilizan los menores dispositivos como los smartphones o las tabletas que el tiempo que pasan frente a ellos. Y esto es determinante a la hora establecer los problemas emocionales y sociales relacionados con su uso».

Estas son las 9 conductas que te pueden ayudar a saber si tu hijo es adicto a la tecnología:

1. **No tiene control.** Para el niño es muy difícil parar de usar los dispositivos.

2. **Ha perdido el interés por todo lo demás.** Parece que tu hijo solo se siente motivado por las nuevas tecnologías.

3. **Solo piensa en una cosa.** Parece que el pequeño solo piensa en sus dispositivos y qué hacer con ellos.

4. **Su comportamiento interfiere con las relaciones de la familia.** Su exposición a las pantallas interfiere con las actividades cotidianas de su familia.

5. **Produce conflicto y peleas.** Las relaciones entre los miembros de la familia y él pueden ser muy difíciles.

---

* https://news.umich.edu/kids-and-screen-time-signs-your-child-might-be-addicted/

6. **No usar su tableta le provoca frustración.** Si no usa sus dispositivos, lo pasa mal.

7. **Pasa cada vez más tiempo delante de una pantalla.**

8. **Miente para usar los dispositivos.**

9. **Cuando tiene un mal día, los dispositivos parecen ser lo único que le ayuda a sentirse mejor.**

La respuesta del psicólogo estadounidense Adam Alter en una entrevista sobre el tema debería hacerte reflexionar y actuar en consecuencia:

«La adicción a las sustancias afecta a una parte muy pequeña de la población, mientras que la adicción a las pantallas está mucho más extendida y avanza de una manera silenciosa. Estar enganchado a la heroína no está socialmente aceptado; estarlo a la tecnología, sí. La gente espera que respondas a los mensajes inmediatamente, desde el ascensor, o mientras cenas. Las consecuencias de esto van a tener mayor alcance».

Como nos recomiendan desde is4K, es aconsejable invitar a que el menor medite sobre las siguientes cuestiones:

- Dedicar un tiempo concreto a estar «conectado» pero también realizar otras actividades, ¿puede ayudarle a ser más feliz y a hacer más felices a quienes le rodean?

- ¿Qué actividades ha dejado de realizar para poder estar «conectado»?

- ¿A qué otro tipo de actividades le gustaría dedicar más tiempo?

- ¿Qué ocurriría si planificase una hora determinada al día en la que atender sus redes sociales en lugar de hacerlo cada poco?

- ¿Dedica cada vez menos tiempo a su familia y a sus amigos?

El primer paso y quizás el más difícil de todos es el de **reconocer que se está haciendo un uso excesivo** e, incluso, la posibilidad de padecer una adicción. Para ello hay que hacer ver las consecuencias que puede suponer la situación y la conveniencia de romper con algunos hábitos adquiridos.

Ten presente que, si es necesario, un especialista será quien dictamine si realmente existe o no una adicción.

¿Qué puedo hacer si hace un uso excesivo?

E s muy sencillo de decir, quizás bastante más difícil de poner en práctica: debemos volver a lo básico, a lo esencial. Precisamos:

- Gestionar de manera adecuada el tiempo, tanto de conexión como de otras actividades.

- Respetar los horarios (sobre todo el sueño y el descanso).

- No utilizar dispositivos mientras están realizando las tareas escolares (nada de redes sociales ni WhatsApp).

- Fomentar las relaciones sociales «cara a cara» más allá del mundo virtual.

Y quizás lo más importante de todo: educar con nuestro ejemplo.

Debemos trabajarnos a nosotros mismos y ser coherentes entre lo que les pedimos a ellos y hacemos nosotros. ¿Quieres que se desconecten? ¡Desconecta tú también!

Cómo actuar ante las reacciones de tus hijos cuando les reduces el tiempo de pantalla o les quitas el dispositivo

Para muchos padres, esta es una situación difícil de abordar y no saben cómo actuar. Debes entender que el niño se enfadará porque no tiene algo que quiere y en ese momento nada de lo que le digas va a calmarlo. Es importante no improvisar y trazar un buen plan de manera conjunta, ya que si se implica al niño será más sencillo llegar a la solución. Siguiendo las indicaciones de E. Kilbey:

> «No busques soluciones de compromiso ni intentes negociar, porque eso no haría más que añadir nuevas dificultades. Si ya le has dado al niño al principio una explicación de los motivos por los cuales le has retirado temporalmente su dispositivo o has reducido su tiempo de uso, no es necesario volver sobre el tema una y otra vez [...] Necesita saber que te mantendrás firme. Distráelo, sal con él o con ella, intenta de algún modo centrar su atención en otra cosa».

Ante todo no se trata de culpabilizar al niño y sí de encontrar soluciones entre todos. Dependiendo de la edad del niño, debemos actuar de una forma u otra. A mayor edad y madurez, estará más preparado y dispuesto a entablar una negociación y llegar a acuerdos conjuntos.

Lo más importante no es renunciar a las tecnologías, sino limitar sus riesgos.

¿Tu hijo sufre FOMO?

F OMO es el acrónimo de la expresión inglesa *Fear Of Missing Out*, que significa **miedo a perderse algo en las redes sociales**, un universo virtual que se ha convertido en una extensión inevitable de la vida *real* de muchas personas. Los que sufren este nuevo síndrome necesitan **estar permanentemente conectados** a internet y consultar compulsivamente las redes, el correo electrónico o el WhatsApp por temor a no enterarse de cualquier cosa que suceda en su entorno, a quedar excluido de algún evento o, lo que es peor, a que otras personas puedan estar haciendo cosas más interesantes o divertidas.

Que hayas sufrido FOMO en alguna ocasión o durante un tiempo no significa necesariamente que seas adicto a internet pero el uso inadecuado de las nuevas tecnologías puede generar una dependencia de la red que es conveniente prevenir.

Sexting

S e denomina sexting al envío de contenidos de tipo sexual (fotos o vídeos) a través del teléfono móvil u otro dispositivo tecnológico.

Cuando intervienen menores se convierte en un problema grave. No solo puede ocasionar estrés emocional grave para aquellos cuyas fotos puedan ser vistas o difundidas sin su consentimiento, sino que puede desencadenar consecuencias legales significativas tanto para el menor de edad que las envió como para los que las reciben.

A diferencia del grooming, aquí el menor graba sus imágenes y las envía de forma voluntaria (no hay coacción). Suele ocurrir que un chico o una chica se graba o toma fotos de manera más o menos íntima, o se deja grabar por su pareja. Después la otra parte difunde ese material sin su consentimiento, normalmente por las redes sociales, de manera que es humillante para la víctima y muy difícil de eliminar de internet.

Los expertos lo tienen claro. Enviar fotos, vídeos o audios así es una práctica muy arriesgada, dado que el material puede ser reenviado sin límite. Y más en caso de no conocerla personalmente.

En mis Escuelas de padres recomiendo a las familias que les pongan a sus hijos los interesantes vídeos de Pantallas Amigas que explican los riesgos del sexting. Los puedes encontrar en YouTube*.

Como destacan Maria Zabay y Antonio Casado en su libro *Todos contra el bullying:*

> «Realizar sexting no puede ser impune, y no lo es. Quien comete este acto de acoso y perjuicio en la imagen social y en la autoestima de otro podrá ser condenado a prisión».

La Ley lo recoge en el artículo 197.7 del Código Penal:

> «Se castiga a quien, sin autorización de la persona afectada, difunda, revele o ceda a terceros imágenes o grabaciones audiovisuales de aquella que hubiera obtenido con su anuencia en un domicilio o en cualquier lugar fuera del alcance de la mirada de terceros, cuando la divulgación menoscabe gravemente la intimidad personal de esa persona».

Consejos para evitar el sexting

- **No intercambies fotografías íntimas.** Tampoco con extraños, aunque te insistan a hacerlo. Si no, es posible que esas imágenes se compartan en numerosas ocasiones, aunque solo sea porque el receptor quiera presumir.

- **Cuidado con los privados.** No envíes contenidos privados para atraer la atención de otra persona. También es probable que comparta esas imágenes o vídeos solo por diversión. No bromees con este tipo de imágenes o vídeos. Te traerá problemas.

---

* https://www.YouTube.com/watch?v=Oi-VacTFPQA

- **No publiques fotos íntimas en las redes sociales.** Siempre habrá alguien que las pueda usar en tu contra más adelante, como hacerte chantaje para obtener algo a cambio. Además, es necesario tener en cuenta la privacidad de los perfiles.

- **Nunca reenvíes las imágenes o grabaciones que recibas.** La imagen y la voz de una persona es un dato personal y no puedes decidir sobre los datos personales de otro sin su permiso. Además, el reenvío de grabaciones de sexting sin la autorización del afectado es un delito, aunque se hayan realizado con el consentimiento de la persona.

Como bien señalan desde is4k, el sexting se distingue de otras prácticas por ciertas características:

- **Voluntariedad.** Los mensajes, imágenes y vídeos son creados conscientemente por sus protagonistas y enviados inicialmente por ellos mismos a otras personas.

- **Carácter sexual.** Los contenidos tienen una clara connotación sexual: desnudez o semidesnudez, así como muestra o una descripción de actividades sexuales.

- **Uso de dispositivos tecnológicos.** Lo más habitual es que utilicen su móvil o smartphone, pero también puede realizarse usando la webcam de la tableta o del ordenador portátil o de sobremesa. En caso de realizarse durante una videollamada o una sesión de chat con webcam, se denominaría sexcasting.

  También es posible que el envío de este tipo de contenidos sea involuntario, ya que otra persona puede utilizar el dispositivo en el que están almacenados (robo o pérdida de móvil, uso sin permiso, etc.) y reenviarlos. También puede ocurrir que una persona sea grabada por otra sin su consentimiento. En ambos casos, los riesgos en lo que respecta a la difusión de ese contenido son similares al sexting.

El menor debe ser consciente de que la difusión de las imágenes es prácticamente imposible de detener. Una vez se comparte, se pierde el control sobre la misma.

> Uno de cada tres niños de entre 12 y 14 años practica sexting y recibe contenido sexual en su móvil.*

El uso del smartphone es una realidad cotidiana en nuestra sociedad. Y no solo entre adultos, sino también entre los más jóvenes. La magnitud es de tal dimensión que la práctica totalidad de los **adolescentes de 14 años** ya dispone de móvil; en concreto, el **90 %** de ellos, según datos ofrecidos por la Asociación Proyecto Hombre.

La precocidad que muestran chicos y chicas desde edades tempranas para utilizar estos dispositivos tiene otra evidencia preocupante: **uno de cada tres niños** de entre los 12 y 14 años reconoce que practica sexting, el intercambio de fotos y vídeos con contenido sexual en su móvil.

Y no solo eso. Uno de cada cinco niños que estudia cuarto de primaria, es decir, con una edad de entre 9 y 10 años, ya tiene su primer dispositivo. Su uso excede al simple hecho de hacer y recibir llamadas. Casi un 85 % reconoce tener acceso a internet y utilizarlo fundamentalmente para comunicarse con sus amigos a través de la aplicación de mensajería instantánea WhatsApp, para consultar fotos de Instagram y ver vídeos en YouTube. Se trata de un hábito que se transforma en una costumbre para los adolescentes, ya que pasan una media de cinco horas diarias al frente de estas pequeñas pantallas, según datos ofrecidos durante la presentación de las XIX jornadas organizadas por Proyecto Hombre, esta vez enfocadas a la tecnología y al mundo digital.

Elena Presencio, directora general de Proyecto Hombre, explica que la actividad de la Asociación se ha centrado durante los últimos

---

* http://www.elmundo.es/sociedad/2017/05/11/59144789ca4741132c-8b460b.html

años en los jóvenes fundamentalmente vinculados con el uso abusivo de las Tecnologías de la Información y la Comunicación (TIC). No en balde, confiesa que el aumento de casos que han atendido por estas razones ha pasado de un 0,42 % en 2013 a 2,8 % en 2016. «Es un aumento leve, pero sí refleja un incremento progresivo entre la población juvenil», explica Presencio, que ha pedido «que no se trate a los jóvenes como adictos».

Luis Bononato, presidente de la Asociación, corrobora esa tendencia al alza. «El hecho de que a edades tempranas ya tengan un dispositivo con posibilidad de conectarse a internet supone un riesgo para favorecer situaciones como el sexting, el ciberacoso o el acceso a contenidos inapropiados», subraya.

¿Cómo actuar si han difundido la imagen de nuestro hijo?

Ante todo, debemos actuar y responder con calma enfocándonos en proteger y al menor y buscar soluciones.

Veamos los pasos a seguir:

- **Contactar con los difusores.** Contactar en la medida de lo posible con los que están difundiendo los contenidos o con quienes lo hayan recibido para evitar que se siga enviando y pedir su eliminación.

- **Reportar al proveedor de servicios.** Para que los contenidos sean eliminados, en muchas ocasiones es necesario contactar con el proveedor de servicio (Twitter, Facebook, Instagram, etc.) alertándoles sobre el caso.

- **Denunciar.** Es posible que sea necesario presentar una denuncia ante las Fuerzas y Cuerpos de Seguridad (sobre todo si se ha producido grooming o sextorsión). Es importantísimo hacer una captura de pantalla y guardar todas las pruebas para presentar junto a la denuncia.

- **Dar apoyo psicológico.** El menor puede necesitar apoyo psicológico y emocional por las graves consecuencias derivadas de estas prácticas. Podemos ponernos en contacto con el centro educativo para que nos ofrezcan asesoramiento y orientación.

Grooming

Es el conjunto de acciones y estrategias llevadas a cabo por un adulto para ganarse la confianza del menor y obtener fotografías eróticas y concesiones de índole sexual. Se trata del **acoso sexual de menores en la red.**

¿Cómo actúan estos acosadores sexuales?

- Se hacen pasar por adolescentes (perfil falso).

- Se ganan la confianza del menor mostrando empatía.

- Piden a los menores que les envíen vídeos o fotos donde aparezcan desnudos o en actitudes sexuales explícitas (webcam).

Cuando el menor empieza a sospechar, recurren al chantaje y la amenaza aprovechando que tienen el «elemento fuerza» para poder hacerlo: sus fotos. El niño, por miedo o vergüenza, no lo cuenta y ahí empieza el verdadero problema. A continuación se muestra el relato de una madre desesperada que comparten con nosotros Pere Cervantes y Oliver Tausté en su libro *Tranki pap@s*:

«Fue un mazazo que tambaleó a toda la familia. Un verdadero shock. Jamás pensé que nos pudiera pasar algo similar, pero es cierto que en esta vida nunca dejas de sorprenderte, y con los niños hay que andar con mil ojos. Cuando le regalamos su smartphone nuevo no pensamos ni por un momento que pudiera ocurrir algo así, ni tampoco en la capacidad dañina que estos aparatos tienen si no vas con cuidado. Lo cierto es que su actitud era muy rara desde hacía un par de meses. No nos dejaba ver lo que escribía, ni con quién hablaba. Se encerraba mucho rato en el cuarto de baño y por las noches estaba hasta las tantas con el dichoso WhatsApp, siempre pendiente de cualquier mensaje que le llegara. Fuera la hora que fuera, ella tenía que abrirlo.

No le dimos mucha importancia, porque con la adolescencia todo cambia, las hormonas se alteran, su cuerpo y sus costumbres no son las mismas, y se vuelven más reservados. La casualidad hizo que un día no tuviera más remedio que coger su teléfono, ya que tenía que llamar urgente y el mío se había quedado sin batería. Esa maldita necesidad de estar conectados y comunicándonos todo el día. No tengo palabras para describir mi sorpresa al descubrir unos chats en su WhatsApp en los que un desconocido le exigía que le mandase más "material" o que de lo contrario enseñaría a sus padres y amigos lo que ya tenía. Había un plazo hasta las diez de la noche o cumpliría sus amenazas. En un primer momento no entendí nada, pero en cuanto eché un vistazo a la galería de fotos y videos del teléfono, lo entendí todo.

Luego vino el enfado, la rabia, el castigo. Solo tenía 12 años y no me entraba en la cabeza que hubiera pasado por semejante calvario sin contarnos nada. Al parecer, un día comenzó a hablarle por Tuenti. Parecía un chico normal, que conocía a alguna de sus amigas y amigos, pero con el tiempo se puso muy pesado. ¿En qué nos hemos equivocado? ¿Cómo pudo grabar esos videos y enviarlos a un desconocido? ¿Por qué no nos dijo nada antes?»

¿Cómo podemos prevenir el grooming?

Debemos educar a nuestro hijo en la precaución: que jamás proporcione imágenes comprometedoras o datos de carácter personal. Debemos evitar que consigan «el elemento fuerza». Esto es posible si mantenemos una actitud proactiva en el tema de la privacidad.

Veamos qué podemos hacer para prevenirlo:

- Acompañar y supervisar la navegación de nuestros hijos.

- Establecer unos hábitos de navegación seguros. Por eso son tan importantes normas, horarios, etc.

- Extremar la precaución en las conversaciones online y recordar siempre: en internet no todo es lo que parece.

- Evitar prácticas de riesgo como el sexting.

- Tener mucho cuidado con el uso que hacen de la webcam o de la cámara del móvil.

- Mantener una comunicación fluida con nuestros hijos advirtiéndoles de los peligros y riesgos, y mostrándoles confianza para que en caso de estar viviendo un caso de grooming sean capaces de contarnos lo que está sucediendo.

10 consejos para niños para evitar el grooming (por «Que no te la den»)

- Rechaza los mensajes de tipo sexual o pornográfico. Exige respeto.
- No debes publicar fotos tuyas o de tus amigos en sitios públicos.
- Utiliza perfiles privados en las redes sociales.
- Cuando subas una foto en tu red social, asegúrate de que no tiene un componente sexual. Piensa si estás dispuesto a que esa foto pueda llegar a verla todo el mundo y para siempre.
- No aceptes en tu red social a personas que no hayas visto físicamente y a las que no conozcas bien. Si tienes 200, 300 o 500 amigos, estás aceptando a personas que realmente no son amigos ni familiares tuyos.

- Respeta tus propios derechos y los de tus amigos. Tienes derecho a la privacidad de tus datos personales y de tu imagen: no los publiques ni hagas públicos los de otros.
- Mantén tu equipo seguro: utiliza programas para proteger tu ordenador contra el software malintencionado.
- Utiliza contraseñas realmente privadas y complejas. No incluyas en tus nicks e identificativos datos como tu edad, por ejemplo.
- Si se ha producido una situación de acoso, no guarda todas las pruebas que puedas: conversaciones, mensajes, capturas de pantalla...
- Si se ha producido una situación de acoso, no cedas ante el chantaje. Ponlo en conocimiento de tus padres y pide ayuda al Centro de Seguridad en internet para los menores.

 Debes enseñar a tus hijos los riesgos de contactar con desconocidos a través de las redes sociales. Recomiendo la visualización de un impactante experimento social* en la que un adulto se hace pasar por un menor para contactar con menores y quedar con ellos. Está grabado con cámara oculta y la reacción de los padres ante la actitud de los hijos por no seguir las advertencias de los peligros a los que se enfrentan al contactar con desconocidos en internet es impresionante.

---

* https://www.YouTube.com/watch?v=jUqIV867VfQ

📢 «Detienen a un hombre acusado de intercambiar fotos y vídeos de contenido sexual con un menor»*

Nuevo caso de grooming en la Comunidad Valenciana. Agentes de la Policía Nacional han detenido a un hombre acusado de intercambiar fotografías y videos de contenido sexual con un menor de 14 años con el que además había concertado un encuentro, según ha informado la Jefatura Superior en un comunicado. El detenido, de 51 años, sin antecedentes policiales, ha pasado a disposición judicial.

El arrestado, considerado presunto autor de un delito de grooming, supuestamente había concertado una cita con un chico de 14 años en el domicilio de este, donde fue arrestado. Los agentes realizaron un registro en su vivienda donde intervinieron tres teléfonos móviles, un disco duro y una tableta.

Las investigaciones se iniciaron al tener conocimiento los policías de que un joven de 14 años había mantenido conversaciones con varios usuarios de una conocida aplicación de mensajería instantánea, en las que se habían intercambiado fotografías y vídeos de contenido sexual.

Durante las investigaciones, los agentes averiguaron que uno de los teléfonos con los que había mantenido conversaciones pertenecía a una persona mayor de edad. Además, le había solicitado que le enviase fotografías de carácter sexual, a lo que el menor habría accedido, e incluso había concertado una cita en el domicilio de este último.

Los policías averiguaron la identidad del titular del teléfono móvil, así como la hora en que iba a tener lugar el encuentro, por lo que establecieron un dispositivo de vigilancia en las inmediaciones del inmueble, gracias al cual los investigadores detectaron la presencia de un hombre frente al portal de la vivienda.

---

* https://www.abc.es/espana/comunidad-valenciana/abci-grooming
-detenido-hombre-acusado-intercambiar-fotos-y-videos-contenido
-sexual-menor-201706191733_noticia.html

Ciberbullying

Según A. Caballero, el ciberbullying o ciberacoso es el acoso escolar a través de la red. Puede ser con mensajes desagradables o amenazantes desde el anonimato en el correo electrónico, en páginas personales, chats o perfiles de redes sociales, en foros de mensajes o en salas de chats, en móviles e incluso en los videojuegos online.

¿Por qué es especialmente grave el ciberbullying?

Principalmente porque tiene un mayor impacto y repercusión que el acoso escolar, ya que la tecnología permite esta amplia difusión de manera inmediata: si esto se graba y se transmite por la red, se lo muestras al mundo, amplificando el efecto del daño y el dolor del niño.

¿Cómo se manifiesta el ciberbullying?

Las formas que adopta son muy variadas y solo se encuentran limitadas por la pericia tecnológica y la imaginación de los menores acosadores, lo cual es poco esperanzador.

Algunos ejemplos concretos podrían ser los siguientes:

1. Colgar en internet una imagen comprometida (real o creada mediante fotomontaje), datos íntimos y otras cosas que pueden perjudicar o avergonzar a la víctima, y darlo a conocer en su entorno de relaciones.

2. Dar de alta, con foto incluida, a la víctima en una web donde se trata de votar a la persona más fea, a la menos inteligente... y cargarle de puntos o votos para que aparezca en los primeros lugares.

3. Crear en redes sociales un perfil falso en nombre de la víctima, donde se escriban a modo de confesiones en primera persona determinados acontecimientos personales, demandas explícitas de contactos sexuales...

4. Dejar comentarios ofensivos en foros o participar agresivamente en chats haciéndose pasar por la víctima, de manera que las reacciones vayan posteriormente dirigidas a quien ha sufrido la usurpación de personalidad.

5. Dar de alta la dirección de correo electrónico en determinados sitios para que luego sea víctima de spam, de contactos con desconocidos...

6. Usurpar su clave de correo electrónico para, además de cambiarla de forma que su legítimo propietario no lo pueda consultar, leer los mensajes que le llegan a su buzón, violando su intimidad.

7. Provocar a la víctima en servicios web que cuentan con una persona responsable de vigilar o moderar lo que allí pasa (chats, juegos online, comunidades virtuales...) para conseguir una reacción violenta que, una vez denunciada o evidenciada, le suponga la exclusión a quien realmente es la víctima.

8. Hacer circular rumores en los cuales a la víctima se le suponga un comportamiento reprochable, ofensivo o desleal, de forma que sean otros quienes, sin poner en duda lo que leen, ejerzan sus propias formas de represalia o acoso.

9. Enviar menajes amenazantes por e-mail, WhatsApp o Facebook, o perseguir y acechar a la víctima en los lugares de internet en los que se relaciona de manera habitual, provocándole una sensación de completo agobio.

Los ciberacosadores presentan muy poca capacidad empática, no se ponen en el lugar de la víctima y pierden la visión ética del uso de la tecnología.

Si tu hijo sufre ciberacoso...

- Escucha atentamente y con interés lo que te cuenta para confirmar que es cierto. No minimices el problema pensando que «no es para tanto» o que «son cosas de niños».

- Actúa de manera inmediata y contundente; no puedes dejar pasar ni un minuto.

Si a tu hijo lo acosan por WhastApp, «esa es justo la conversación que nunca hay que borrar», señala Pere Cervantes, coautor del libro *Tranki Pap@s*. ¿Por qué motivo? «Porque es algo que se puede presentar como denuncia en dependencias policiales. Simplemente apretando en la pantalla WhatsApp tienes la posibilidad de enviarla por correo electrónico».

Lee con atención estos diez consejos para combatir el ciberbullying y explícaselos con detenimiento a tu hijo.

Consejos básicos contra el ciberbullying (por «Pantallas Amigas»)

- No contestes a las provocaciones, ignóralas. Cuenta hasta cien y piensa en otra cosa.
- Compórtate con educación en la red.
- Si te molestan, abandona la conexión y pide ayuda.
- No facilites datos personales. Te sentirás más protegido.
- No hagas en la red lo que no harías cara a cara.
- Si te acosan, guarda las pruebas.
- No pienses que estás del todo seguro al otro lado de la pantalla.
- Advierte a quien abusa de que está cometiendo un delito.
- Si hay amenazas graves, pide ayuda con urgencia.

«Detienen a un menor en Dos Hermanas por acosar por internet a un compañero de instituto»*

Agentes de la Policía Nacional han detenido a un menor, de 15 años de edad, por acosar a un compañero del instituto donde estudian en Dos Hermanas (Sevilla), tras la denuncia interpuesto por la víctima, que permitió iniciar la investigación policial. El menor detenido creó varios perfiles falsos en una conocida red social para acosar a su compañero y lo amenazó con difundir imágenes íntimas que obtuvo previamente haciéndose pasar por una chica, según ha informado por la Policía Nacional en un comunicado.

---

* http://www.europapress.es/andalucia/sevilla-00357/noticia-detenido-menor-acosar-companero-instituto-dos-hermanas-sevilla-20180504141409.html

El detenido fue puesto a disposición de la Fiscalía de Menores como presunto responsable de los delitos contra la integridad moral, corrupción de menores e inducción al homicidio. La investigación se inició en el momento en que la Policía tuvo conocimiento de los hechos gracias a la denuncia que la víctima, en compañía de su padre, interpuso en la Comisaría de Dos Hermanas. En ella manifestó que el acoso comenzó el pasado mes de febrero con la creación de un perfil falso en el que una chica le solicitaba fotografías y vídeos de carácter sexual.

Pedía a la víctima grabar vídeos sexuales o arrojar a su hermana desde el balcón

Una vez conseguidos dichos archivos, y mediante otros perfiles falsos en los que se hacía pasar por el jefe de una banda de delincuentes, comenzó la situación de acoso. El detenido solicitaba a la víctima realizar diversas pruebas tales como hacer pintadas en la vía pública, grabar vídeos de contenido sexual e incluso pidiendo al denunciante que arrojase a su hermana desde el balcón de su casa, todo ello bajo la amenaza de hacer públicas las fotos y vídeos que ya tenía en su poder.

Dichas imágenes, así como otros montajes que realizó el detenido, fueron enviados finalmente a varios alumnos del centro donde estudiaban, creando en la víctima un gran sentimiento de angustia.

Una vez identificado el menor que se escondía tras los falsos perfiles y finalizada la investigación por la Brigada Local de Policía Judicial de Dos Hermanas (Sevilla), fue detenido y pasó a disposición de la Fiscalía de Menores de Sevilla, decretándose una medida de libertad vigilada y una orden de alejamiento de la víctima.

Ante situaciones como esta, la Policía Nacional recuerda la importancia de educar a los niños y adolescentes en pautas seguras para navegar en la red y evitar ser víctimas de ciberbulling y otros delitos. Entre esos consejos destaca el no proporcionar o compartir nunca imágenes privadas o comprometedoras a través de las redes sociales; desconfiar de desconocidos, pues en el mundo virtual no todo el mundo es quien dice ser; mantener los equipos actualizados y protegidos para evitar el robo de archivos; no ceder nunca al chantaje del acosador, y solicitar la ayuda de un adulto o de la Policía en caso de estar siendo víctima de acoso o intimidación en internet.

Los ciberagentes de la Policía Nacional ponen a disposición del ciudadano la siguiente dirección para denunciar este tipo de hechos, www.policia.es/colabora.php.

Pro-ANA, pro-MIA

Además de todos los peligros ya comentados, hemos de tener en cuenta que en ocasiones internet es la puerta a contenidos nocivos. Un ejemplo de ello son las páginas «pro-ANA» y «pro-MIA», que hacen apología de la anorexia y la bulimia.

Como destacan Maite Nascimento y Araitz Petrizan:

«Hay que tener en cuenta que los avances en las nuevas tecnologías han facilitado la expansión de cánones de belleza irreales e imágenes que relacionan el éxito con la delgadez». [...] «También se han creado páginas web en las que se hace apología de estas enfermedades y se dan consejos o trucos, como por ejemplo técnicas para provocar el vómito tras las comidas sin que sus padres se enteren».

La mayoría de los visitantes de estas webs (incluso ya se crean grupos de WhatsApp sobre el tema) son menores que acuden a estas páginas convencidas de que la reducción de peso las ayudará a sentirse mucho mejor. Pero lo que ocurre es que están mostrando comportamientos que ponen en riesgo su salud. Hay que tener muchísimo cuidado.

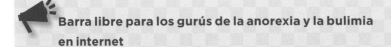

Barra libre para los gurús de la anorexia y la bulimia en internet

«Come mirándote al espejo, preferentemente desnudo o con muy poca ropa. En caso de que no puedas hacerlo, lleva una foto contigo en la que se haga notar la grasa de tu cuerpo; así recordarás cómo te ves y no querrás que aumente eso». Este es uno de los miles de consejos que circulan por internet. Detrás de ellos están los gurús de la extrema delgadez, quienes ofrecen consejos y trucos al por mayor para quedarse en los huesos, una barra libre para Ana y Mía (acortamientos que se utilizan en la red para referirse a la anorexia y la bulimia). Aunque este mes Google, Facebook y Tumblr dieron un paso al frente y retiraron 14 contenidos, perfiles en redes sociales y blogs que habían sido denunciados, las asociaciones que luchan contra este tipo de trastornos de la alimentación dan esta guerra por perdida. Al menos, dicen, hasta que se promueva un cambio legislativo que prohíba expresamente y sancione este tipo de contenidos.

«Siguen existiendo las mismas páginas porque, aunque se cierren, en su lugar abren otras diez», explica Mari Carmen Galindo, presidenta de la Federación Española de Asociaciones de Ayuda y Lucha contra la Anorexia y la Bulimia (Feacab). «No se pueden clausurar todas, hay miles. Es tan fácil encontrarlas como poner en el buscador de Google: dietas para adelgazar sin que se enteren tus padres», continúa. Hay 118.000 resultados.

«Desde la federación hemos estado en contacto con el Ministerio de Sanidad, que cuando ve que existe un contenido perjudicial para la salud inicia los trámites para censurarlo. También remitimos los que nos llegan a la asociación Protégeles, que trabaja en coordinación con el Defensor del Menor», apunta la responsable de Feacab, quien reconoce que «el proceso no es rápido».

Lucha internacional

Esta es, además, una lucha internacional. Los consejos que lanza una persona en Chile, por ejemplo, pueden alcanzar a millones de internautas que hablan español. Y cada vez disponen de más armas. Una muestra de ello está en los grupos de WhatsApp que crean estos gurús de las princesas y príncipes Pro-Ana y Pro-Mía. Tal es su alcance que en algunos blogs hasta facilitan una guía con los prefijos de cada país a fin de que los interesados en unirse a los grupos de telefonía lo tengan en cuenta al enviar su número para ser agregados.

Todas estas herramientas sirven como «un filón más de información para debutantes en la enfermedad», indica Fátima Pérez, presidenta de la Asociación de Bulimia y Anorexia de A Coruña (ABAC). «Intercambian dietas y trucos sobre cómo adelgazar sin que se entere el entorno más próximo, se aconsejan sobre qué laxantes funcionan mejor, comparten estrategias...», enumera. Y desengancharse de estos grupos, de estas pequeñas comunidades, tiene que ser también por iniciativa propia, subraya: «En las terapias no se prohíbe nada, lo que sí hacemos es tratar ese tema y ponerlo sobre la mesa».

Los más vulnerables

Los trastornos de alimentación afectan cada vez a un abanico mayor de edades, que puede ir desde niños y niñas de 8 años hasta personas de más de 60, describen en las asociaciones implicadas en combatir la enfermedad. Sin embargo, los más vulnerables a los gurús virtuales, dicen, son los adolescentes, puesto que no solo se manejan como peces en el agua en internet, sino que además están en la franja de edad con mayor incidencia de la enfermedad. «Cualquiera puede caer en este tipo de páginas, pero generalmente los adultos son más críticos y les saltan antes las alarmas», comenta Fátima Pérez.

Fue precisamente la madre de una adolescente que llevaba cuatro años luchando contra un trastorno de alimentación quien puso en marcha una campaña a través de Change.org pidiendo que se prohíban este tipo de contenidos en España, al saber que esta se llegó a nutrir de sus consejos envenenados. La iniciativa, dirigida al Ministerio de Justicia y al Gobierno central, ha conseguido más de 281.000 apoyos. Las asociaciones contra la anorexia y la bulimia tienen ahora su esperanza puesta en una ley marco en la Unión Europea que corte el grifo a la barra libre para Ana y Mía.

Los padres preguntan

¿Mi hijo está haciendo un uso excesivo de la tecnología? Para comprobarlo deberías plantearte una serie de preguntas.*

1. Cuando el menor está con otras personas de su edad, ¿chatea con otras personas?

- ¿Pasa más de dos horas al día delante de pantallas?

- ¿Ha dejado de lado otras actividades y amistades a cambio de estar «conectado»?

- ¿Está pendiente continuamente de lo que sucede en sus redes sociales?

- ¿Tiende a adoptar falsas identidades y a mantenerlas más allá del entorno virtual?

---

* https://www.is4k.es/uso-excesivo-de-las-tic

- ¿Se inquieta cuando se va a quedar sin batería?

- Fuera de casa, cuando vais a algún sitio, ¿lo primero que hace es buscar una wifi gratuita y se molesta si no está disponible?

Si respondes a la mismas de manera afirmativa, deberás seguir los consejos aportados en este capítulo sobre el uso excesivo y la adicción a la tecnología: gestionar el tiempo de uso, respetar horarios de descanso, mantener el contacto real con los demás, etc. Y algo muy importante que nosotros podemos hacer: **educar con nuestro ejemplo.**

2. ¿Qué herramientas de control parental puedo utilizar en los dispositivos?

El mejor control parental **siempre vamos a ser los padres.** Ningún aparato o herramienta puede sustituir nuestra supervisión. De todos modos, tenemos en nuestra mano una serie de herramientas que nos ayudarán en la tarea de controlar y supervisar tanto las páginas a las que acceden como las aplicaciones que usan. Pero destaco que no se trata de espiar a nuestros hijos.

Las herramientas de control parental nos permiten realizar muchas acciones que favorecen la seguridad de los menores y que nuestro control sea exhaustivo. Con ellas podemos filtrar páginas, bloquear contenidos inadecuados, filtrar aplicaciones, establecer horarios de conexión y tiempo máximo de navegación, etc.

Como nos recuerdan Pere Cervantes y Oliver Tauste:

> «El control parental es algo más que instalar un programa en tu ordenador y activarlo para que funcione. Es una herramienta más de seguridad de las que ya tienes en tu mochila».

Para que funcionen con efectividad requiere que los adultos las configuremos adecuadamente.

Si usas iPhone, iPad, iPod Touch u ordenador de Apple, existe en **Control Parental iOS**. No requiere de ningún tipo de software ni instalación, ya que los ajustes de privacidad son los que ofrece el propio sistema operativo iOS para los dispositivos móviles. Sus principales funcionalidades son las siguientes*:

- **Filtrar aplicaciones.** Se pueden activar o desactivar las distintas aplicaciones instaladas en el dispositivo.

- **Impedir el acceso a contenido explícito o con calificaciones concretas.** Permite establecer restricciones que impidan la reproducción de música con contenido explícito, así como de películas o programas de televisión con calificaciones concretas. Las apps también tienen calificaciones que pueden configurarse mediante los controles parentales.

- **Impedir el acceso a sitios web.** iOS puede filtrar automáticamente el contenido de los sitios web con el objetivo de limitar el acceso a contenido para adultos en el navegador web Safari y en las apps del dispositivo de tu hijo. También puedes añadir sitios web específicos a una lista de aprobados o bloqueados, o limitar el acceso únicamente a los sitios web aprobados.

- **Permitir cambios en los ajustes de privacidad.** Los ajustes de privacidad del dispositivo de tu hijo te permiten controlar qué apps tienen acceso a la información almacenada en el dispositivo o a las funciones de hardware. Por ejemplo, puedes permitir que la app de una red social solicite acceso a la cámara, de forma que tu hijo pueda hacer fotos y cargarlas. También puedes impedir que tu hijo deje de compartir su ubicación.

---

*   https://support.apple.com/es-es/HT201304

- Game Center. Impide que los juegos usen funciones de multi-jugador, impide añadir amigos al Game Center e impide que se puedan realizar capturas y grabaciones de pantalla.

Si por el contrario tienes un dispositivo Android, también tienes distintas opciones para activar el **control parental:**

- Crear distintos usuarios para concederles diferentes permisos. Para ello solo es necesario entrar en *Ajustes* > *Usuarios* o desde la barra de notificaciones pulsar el icono del usuario y luego en *Más opciones*. Una vez dentro, puedes añadir tantos usuarios como personas vayan a tener acceso al terminal. También puedes restringir las llamadas y los SMS si lo crees necesario.

- Activar control parental en Google Play Store. Google Play tiene una opción de control parental que puedes activar desde la propia aplicación de Google Play Store. Entra en la aplicación y en el menú busca *Ajustes*. En controles de usuario hay una opción llamada *Control parental*. Para activar el control parental necesitas introducir un código PIN. Una vez introducida la clave vas a poder establecer restricciones de contenido en tres apartados: Aplicaciones y juegos, Películas y Música.

- Limitar las compras en Google Play Store. En los ajustes de Google Play, justo debajo del control parental, tienes la opción *Pedir autentificación para realizar compras*. Con esta opción activada se te pedirá la contraseña de tu cuenta de Gmail cada vez que quieras comprar una aplicación o realizar una compra integrada a través de una aplicación.

- Desactivar la instalación de aplicaciones de origen desconocido. También es conveniente que controles las aplicaciones que se puedan obtener por otros medios que no vengan del market oficial. Lo principal es desmarcar la opción de *Orígenes desconocidos* dentro de *Ajustes* > *Ajustes avanzados* > *Seguridad* > *Apps de origen desconocido*.

- Utilizar aplicaciones que te ayudarán en el control parental. Las más conocidas son Karpesky SafeKids, Qustodio, Dinner Time, Nortom Family, etc.

Si tienes Windows, Microsoft ofrece **Control Familiar** de manera gratuita. No requiere la instalación de ningún tipo de software, ya que estos ajustes son los que ofrece el propio sistema operativo. Sus principales funcionalidades son las siguientes:

Funcionalidades de supervisión:

- Configurar límites de tiempo. Permite controlar el tiempo que los menores podrán hacer uso del equipo.

- Juegos. Permite controlar tanto los juegos como el tipo de juego a los que el menor accede. Se puede establecer una clasificación en función de rangos de edad y tipos de contenido.

- Permitir y bloquear programas específicos. Se pueden seleccionar los programas que va a poder usar. Muestra un listado al que permite agregar más programas.

- Bloquear sitios web.

- Obtener informes de actividad.

Una de mis herramientas favoritas, si tienes móvil Windows/ Mac, Android o iOS, es **Qustodio**. Es de pago pero merece mucho la pena. Las principales funcionalidades que Qustodio proporciona de manera gratuita tanto para ordenadores de mesa como para dispositivos móviles son:

- **Búsqueda segura.** Activando esta opción se limitarán los resultados de búsqueda, eliminando contenido potencialmente inseguro.

- **Lista de aplicaciones utilizadas y por cuanto tiempo.** Visible desde el resumen de la actividad y cronología de actividad, muestra un listado de los programas que el dispositivo monitorizado ha utilizado y el tiempo transcurrido en uso de cada uno.

- **Vista de actividad web por página y tiempo.** Visible desde las mismas opciones que el anterior, se puede configurar para que muestre sitios de actividad cuestionable (vigilados o restringidos).

- **Control de tiempo.** Permite bloqueos tanto en el uso total del dispositivo como en uso de aplicaciones.

- **Seguimiento de localización.** Únicamente está disponible en versión Premium y dispositivos Android.

- **Supervisión de llamadas y SMS.** Únicamente está disponible para dispositivos Android.

- **Historial de uso.** Permite conocer su utilización minuto a minuto.

- **Uso desde cualquier dispositivo.** A la consola de monitorización y configuración se puede acceder a través del navegador web.

Controles de protección:

- **Filtrado de páginas web por categorías.** Permite restringir determinados tipos de sitios web, recibiendo alertas cuando se acceda a una categoría marcada (juegos, contenido adulto, violencia, etc.).

- **Controles de acceso a internet.** Permite limitar el uso de los navegadores por tiempo o en su totalidad.

- **Filtrado de páginas web.** Permite restricciones de sitios web específicos.

Con la versión gratuita de la aplicación, solamente se puede proteger un máximo de un dispositivo y persona.

Para más información sobre herramientas de control parental, visita la web https://www.is4k.es/de-utilidad/herramientas.

3. ¿Cómo podemos proteger la privacidad de nuestros hijos en la red?

Hemos hablado a lo largo del libro del impacto de la identidad digital en la vida de nuestros hijos (tanto en el presente como en el futuro). Por este motivo es tan importante que les expliquemos muy bien a nuestros hijos qué contenidos pueden ser públicos y cuáles deben mantener en privado. Por eso, la máxima siempre será **«Piensa bien antes de publicar algo».**

> *No digas nada en línea que no querrías que fuera expuesto en un anuncio panorámico con tu cara puesta en él.*
>
> ERIN BURY

Existen muchas medidas que podemos establecer para proteger la información que publicamos y mantenerla privada:

- Opciones de seguridad. Hacer uso de contraseñas robustas para acceder, preguntas de seguridad, etc.

- Revisar los permisos de privacidad de cada aplicación que usamos.

- No hacer uso de equipos públicos si vamos a manejar información sensible. En caso de hacerlo, se debe usar la opción de navegación privada.

- Leer con detalle las condiciones y servicios de cada aplicación y redes sociales. De este modo sabremos qué estamos permitiendo a las mismas.

- Configurar las opciones de privacidad de cada aplicación que usemos.

Para ampliar esta información, consulta la *Guía de privacidad y seguridad en internet* elaborada por la Agencia Española de Protección de Datos y la Oficina de Seguridad del Internauta: https://www.is4k.es/de-utilidad/recursos/guia-de-privacidad-y-seguridad-en-internet

Hay un vídeo* muy interesante de una campaña de UNICEF que puedes poner a tus hijos para reflexionar sobre el tema.

---

* https://www.YouTube.com/watch?v=WqBI2zyXl7g

8. No todo va a ser malo…

Los niños aprenden imitando a sus padres.

ÓSCAR GONZÁLEZ

Como ya he ido repitiendo a lo largo del libro, no pretendo demonizar las nuevas tecnologías y decir que son un problema, sino concienciar sobre **la necesidad de educar en un uso responsable y seguro de las mismas,** y para conseguirlo hemos de empezar por nosotros mismos.

Hemos hablado de los riesgos y de los peligros, pero para terminar me gustaría ofrecerte la otra cara, la parte positiva y constructiva de la misma. En palabras de Kilbey:

> «Nuestra actitud hacia la tecnología no debería limitarse a proteger y restringir. Debemos pensar maneras de utilizar la tecnología de un modo constructivo para obtener lo mejor de ella, para mantener unida nuestra familia y para favorecer la conexión, no el aislamiento».

¿Oportunidad o peligro?

Internet se ha convertido en una herramienta imprescindible para nuestros niños y jóvenes (y también para los no tan jóvenes). Como destaca Leonardo Cervera, «nosotros usamos internet pero nuestros hijos viven en internet» y para ellos «internet constituye un mundo virtual tan auténtico como el real».

Algunos contenidos no son adecuados para ellos. Por este motivo es importante que supervisemos más que controlemos. Es necesario que dediquemos y pasemos tiempo con ellos mientras navegan. Debemos guiar al niño desde edades tempranas dotándole de formación e información sobre seguridad: en definitiva, prepararlo para el futuro.

También podemos hacer uso de un sistema de control parental que nos ayude en esta supervisión. Como ya he comentado anteriormente, aquí también es fundamental educar con nuestro ejemplo: el niño observa y copia el uso que nosotros damos a la tecnología, para bien o para mal.

Internet es una fuente de riesgos, pero también de **oportunidades**. Veamos algunos ejemplos:

- **E-learning.** Sistema de formación cuya característica principal es que se realiza a través de internet o conectados a la red. En otras palabras: teleformación, educación a distancia, enseñanza virtual o formación online.

- **Fomenta el acercamiento y el «enganche» de algunos adolescentes a la literatura.** Un ejemplo de ello lo tenemos en la escritora Laura Gallego, que no solo arrasa en ventas y firmas en la Feria del Libro, sino que estimula la lectura entre sus fans a través de blogs y redes sociales. Es un fenómeno que se repite con la gran mayoría de autores de sagas juveniles.

- Además en algunos centros han puesto en marcha **proyectos innovadores para fomentar la lectura.** Un ejemplo es el proyecto «Booktubers» del Colegio Sant Obrer Josep de Palma: eliminaron la obligatoriedad en la lectura de libros dejando que los alumnos los eligiesen con una única condición, que fuesen de su agrado. En la parte final del proyecto los alumnos se convirtieron en auténticos *youtubers* de la crítica literaria. Individualmente o en parejas, se grabaron mostrando el libro físico y explicando elementos básicos de la lectura, pero, sobre todo, tuvieron que argumentar en primera persona por qué les había gustado y por qué lo recomendarían. Otra manera de acercar la lectura a través del uso de las tecnologías.

- Hay **centros educativos innovadores que ya trabajan a diario con ordenadores y tabletas** desde los que tienen acceso a información para elaborar sus trabajos y tareas. Ahora bien, los padres debemos ayudarles (igual que lo hacemos en papel con sus deberes) y mostrarles la necesidad de contrastar los datos y no fiarse de toda la información que circula por la red (hay que tener especial cuidado con las *fake news*, de las que hablaremos más adelante).

- Internet **permite interactuar y compartir un mensaje con** cualquier persona de cualquier parte del mundo de manera instantánea. Es una de las grandes ventajas de estar conectados.

- MOOC (*Massive Online Open Courses*) permite llegar a miles de estudiantes en todo el mundo. De carácter abierto y gratuito, todos los meses más de 700 universidades de todo el mundo ofrecen **cientos de cursos online gratuitos**.

Otra muestra de internet como fuente de oportunidades son los siguientes ejemplos.

Kahn Academy

Es un sitio web creado en 2006 por el educador estadounidense Salman Khan con el objetivo de «proporcionar una educación gratuita de nivel mundial para cualquier persona, en cualquier lugar». Es una organización de aprendizaje en línea gratuito, basada en donaciones con un modelo muy similar a la Wikipedia para un proyecto sin ánimo de lucro. Cuenta con más de 4.300 vídeos dirigidos a escolares de enseñanza primaria y secundaria.

Khan Academy ofrece ejercicios de práctica, vídeos instructivos y un panel de aprendizaje personalizado que permite a los alumnos aprender a su propio ritmo. Abordan las matemáticas, la ciencia, la programación de ordenadores, la historia, la historia del arte, la economía y más. Tienen convenios con instituciones como la NASA, el Museo de Arte Moderno de Nueva York, la Academia de Ciencias de California y el Instituto Tecnológico de Massachusetts (MIT) para ofrecer contenido especializado.

Lo que empezó con un solo hombre ayudando a sus sobrinos se ha convertido en una organización de más de 150 personas. Forman un equipo diverso, reunido para trabajar en su misión de proporcionar una educación gratuita a nivel mundial para cualquier persona en cualquier lugar. Son desarrolladores, maestros, diseñadores, estrategas, científicos y especialistas en contenido que creen apasionadamente en inspirar al mundo a aprender.

Puedes acceder a la web en español en https://es.khanacademy.org

Unicoos

Se trata de una organización educativa y un sitio web creado en 2011 por el ingeniero español en sistemas de telecomunicación David Calle. Hace una década, a consecuencia de la última crisis del sector, perdió su trabajo como consultor. Entonces decidió recuperar la profesión a la que se había dedicado para financiar sus estudios universitarios: profesor particular de ciencias. «Empecé a trabajar en una academia y dos años después decidí montar la mía propia. Muy pronto descubrí que mi verdadera vocación era enseñar.» Creó Unicoos, un portal que comparte su nombre con el canal de YouTube donde ha gestado, en tiempo récord, la mayor plataforma en español de vídeos con lecciones de matemáticas, física y química. De la noche a la mañana se ha convertido en profesor particular de miles de alumnos. «"¿Por qué no grabas vídeos de matemáticas y los cuelgas en YouTube"?, me dijo mi mujer. Me tiré mucho tiempo aprendiendo Photoshop y edición de vídeo. Entonces empecé a grabar piezas, aunque al principio solo las veían mi hermano y cuatro alumnos...». Ahora los ven decenas de miles.

Los contenidos educativos de Unicoos están especializados en matemáticas, física y química, y los niveles que engloban las clases particulares del *YouTuber* madrileño van desde la educación secundaria, pasando por el bachillerato, hasta la misma universidad. Entre ellos (más de 550), podemos encontrar desde las explicaciones más sencillas sobre funciones y ecuaciones hasta lecciones magistrales sobre temas complejos como la hidrostática o la termodinámica.

Puedes acceder a la web en https://www.unicoos.com

No podemos ni debemos demonizar internet, ya que se ha convertido en una herramienta fundamental en la formación y el ocio de nuestros hijos. Aunque es lógica nuestra preocupación, no hay que ser alarmistas. Tenemos que ver y valorar si son mayores los riesgos o las oportunidades que nos ofrece, **pero jamás apartar al niño de internet,** pues le estaríamos negando parte de su desarrollo y educación como ciudadano tecnológico. Como destaca Leonardo Cervera:

«La inmensa mayoría de padres y de hijos (hasta el 90% según los últimos estudios publicados) consideran que deben pesar más los beneficios tangibles de utilizar internet que sus peligros».

Y tú, ¿qué opinas?

Espero que esta tabla del propio Leonardo Cervera* te ayude a juzgar por ti mismo:

Riesgos de internet	Oportunidades de internet
Exposición a contenidos inapropiados	Supone una biblioteca impagable e inabarcable
Posible contacto con pedófilos y depredadores sexuales	Fomenta la comunicación con familiares y amigos
Ciberanalfabetismo	Crea sentido de comunidad, trabajo en equipo
Desinformación	Forma tecnológicamente
Malas influencias	Promueve el activismo
Spam, virus	Ayuda a hacer los deberes
Atentados contra la intimidad	Fomenta la creatividad y la actividad artística

---

*   Cervera, L., *Lo que hacen tus hijos en internet,* RBA Libros, 2009.

Como ya he señalado, no todo el tiempo delante de las pantallas es igual y debemos distinguir entre *tiempo pasivo* y *tiempo activo/creativo*. Este tiempo tiempo activo y controlado puede incluir actividades como:

- Crear un blog o página web sobre algún tema de su interés.

- Hacer fotos y editarlas e incluso crear su propia película de vídeo.

- Aprender una nueva habilidad.

- Crear música digital.

- Programar.

- Usar internet para investigar sobre diversos temas y buscar respuesta a cuestiones e inquietudes.

- Hacer uso de aplicaciones educativas para trabajar la ortografía, las tablas de multiplicar o los idiomas.

- Utilizar YouTube para aprender nuevas habilidades (más allá de seguir al *youtuber* de moda).

Además, hay que resaltar que diversos estudios han puesto de manifiesto que los videojuegos tienen varios efectos beneficiosos.

Te recomiendo la visualización del vídeo de *The Gamer Inside*, *Los videojuegos como medios para educar y divertir*.*

---

* https://www.YouTube.com/watch?v=CSEj8ZtkkSM&feature=YouTube_gdata_player

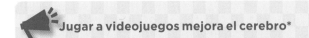

Jugar a videojuegos mejora el cerebro*

Madres del mundo que habéis intentado, sin éxito, despegar a vuestros hijos del mando de la consola. Vosotros que os habéis sentido mal después de siete horas seguidas jugando a *League of Legends*, tenemos una buena noticia.

Jugar a videojuegos es bueno para el cerebro. Impacta en la estructura cerebral, aumenta el tamaño de algunas regiones y activa otras haciéndolas más eficientes, como la de la atención y las habilidades visuoespaciales.

A estas certezas ha llegado un grupo de investigadores de la Universidad Oberta de Catalunya (UOC) tras analizar todos los estudios realizados hasta la fecha con neuroimagen. En total, 116 estudios de los que 112 ofrecen resultados positivos. Sus conclusiones se acaban de publicar en la revista *Frontiers in Human Neuroscence*.

¿Por qué se habla entonces de los efectos negativos de los videojuegos? «Como son tan populares, todo el mundo tiene una opinión, pero las negativas suelen carecer de base científica», afirma una de las investigadoras del proyecto, la neurocientífica Elena Muñoz.

Más capacidad de atención

Quienes pasan el rato sentados frente a la pantalla mejoran, según los estudios, todos los tipos de atención, especialmente la selectiva y la sostenida. «La atención selectiva nos permite atender a algo que nos interesa sin que los elementos externos nos distraigan y la sostenida, ser capaces de mantenerla», dice Muñoz, que explica que «las personas con alta experiencia en videojuegos activan menos esa parte del cerebro correspondiente a la atención con buenos resultados, es decir, su cerebro actúa de forma más eficiente».

---

*   https://www.elindependiente.com/vida-sana/2017/07/22/jugar-a
-videojuegos-mejora-el-cerebro/

Mayor habilidad para interpretar mapas

El cerebro de los aficionados a los videojuegos también tiene mejores capacidades para leer mapas, estimar distancias entre objetos, realizar operaciones de cálculo mental u orientarse en entornos nuevos. Estas habilidades visuoespaciales están optimizadas en los jugadores, según apuntan los autores del estudio. «Algunas regiones cerebrales, como el hipocampo derecho y regiones occipitoparietales, relacionadas con estas habilidades, muestran un aumento de volumen al experimentar con los videojuegos», afirma Diego Redolar, neurocientífico y otro de los autores del estudio.

Más rapidez en la toma de decisiones

La llamada memoria de trabajo es otra de las áreas que cambia entre los jugadores de videojuegos y los no jugadores. Este tipo de memoria, con la que conseguimos llevar a cabo una tarea al concentrar toda la información que necesitamos para llevarla a cabo, se activa gracias a dos áreas del cerebro que aumentan de volumen en el caso de los jugadores. «Tanto en el hipocampo como en la zona occipitoparetal se observa un aumento del volumen y una optimización de su utilización», afirma Muñoz.

Los estudios apuntan también a que los jugadores de videojuegos consiguen aumentar la velocidad de procesamiento de información. «Mejora algo que últimamente se requiere en todas las empresas, la multitarea o ser *multitasking*», indica Muñoz.

El lado negativo, la potencial adicción

Tan solo cuatro de los 116 estudios hablan de efectos negativos de los videojuegos, con efectos relativos a la atención, una mayor impulsividad o un menor cociente intelectual verbal. Otro de ellos dice que los videojuegos pueden afectar a la cognición social, necesaria para establecer relaciones interpersonales.

«No obstante, los estudios suelen reflejar menos la parte negativa que la positiva, es un sesgo que afecta en general a la ciencia. A veces son las propias revistas las que dejan de publicar artículos con efectos negativos», admite Muñoz, aunque los estudios ofrecen resultados fundamentalmente positivos.

Jugar en internet, mucho más adictivo

Los efectos positivos de los videojuegos no varían en caso de estar conectados o no a internet. Pero hay un aspecto que sí varía, el potencial adictivo. «De hecho, la adicción a los videojuegos se denomina *internet gaming disorder* porque son los juegos a través de internet los que más capacidad adictiva tienen. Es debido a que tienen un mayor refuerzo social, que es uno de los más importantes para el ser humano», explica la neurocientífica.

«Los adictos tienen alterado el circuito neural de la recompensa, algo que, de forma simple, se podría resumir en que su capacidad de autocontrol funciona peor y tienen más activadas las áreas emocionales de la recompensa», explica.

Beneficios en enfermedades neurodegenerativas

Los videojuegos también parecen ser positivos para estimular a pacientes con Alzheimer y otras enfermedades degenerativas, según las investigaciones del proyecto Ad Gaming que lidera la Asociación de Familiares de Enfermos de Alzheimer de Valencia (AFAV). Los «juegos serios» utilizados para estimular las habilidades cognitivas en las personas con Alzheimer «pueden tener beneficios potenciales, especialmente para aquellos con síntomas leves y moderados», según ha informado la AFAV a Europa Press.

«El objetivo es crear una plataforma que contenga una recopilación de juegos para adultos, clasificados en diferentes áreas, para que los cuidadores tengan el conocimiento de cómo trabajar cada uno de ellos para ralentizar el deterioro de las personas con Alzheimer», ha explicado la AFAV.

El proyecto también pretende dotar de habilidades tecnológicas y digitales a las personas con Alzheimer y ayudar a su alfabetización en la tecnología, la de sus familias y cuidadores, a través del uso de juegos formativos (*serious games*).

La AFAV lidera el proyecto Ad Gaming sobre juegos para adultos que ralentizan el deterioro de las personas con enfermedad neurodegenerativa. La AFAV cuenta, como socio tecnológico, con el Instituto de Biomecánica de Valencia (IBV) para desarrollar este proyecto, formado por un consorcio europeo integrado por entidades de Eslovenia, Rumanía, Grecia, Reino Unido y España, según un comunicado de la Asociación.

La plataforma digital, creada por el IBV, será totalmente gratuita y recogerá material didáctico para trabajar, a través del juego, la estimulación cognitiva desde diferentes áreas cerebrales como la memoria, la orientación, la atención, la percepción, el lenguaje, el cálculo y la praxia. Algunos de los juegos que se están investigando son el bingo, el scrabble, las siluetas, los píxels o la Wii Sports, entre otros.

Por tanto, **dejemos de ver solo la parte negativa y pongamos el foco en la parte positiva y beneficiosa de la tecnología** educando en positivo…

La tecnología es solo una herramienta.
La gente usa las herramientas para mejorar sus vidas.
TOM CLANCY

Adenda

El viaje continúa...

Espero que una vez leído el libro hayas podido encontrar respuesta a muchas de tus dudas respecto a la tecnología de tus hijos y puedas seguir creciendo en este complejo pero gratificante camino.

Como puedes comprobar, no solo hemos aprendido sobre los peligros y riesgos de la tecnología, sino de qué forma podemos educar en positivo para encontrar maneras sanas y equilibradas de integrarla en nuestros hogares y familias de manera que no se convierta en un problema, sino que por el contrario nos aporte soluciones en nuestro día a día. Te animo a que compartas esta información con tus amigos y conocidos para que pueda llegar a más y más padres que, como tú hasta ahora, andan desorientados y perdidos en este mundo de la tecnología.

Confío en que en este aprendizaje hayas ganado en confianza eliminando esos miedos e inseguridades que te asaltaban con frecuencia. Quiero que vivas y disfrutes al máximo este proceso de crianza de tus hijos. No se trata de sobrevivir a la educación y al crecimiento de tus hijos, sino de saborearlos en cada una de las etapas.

Muchas de las ideas que he expuesto no son nuevas ni son mías, sino que las he aprendido de personas que han investigado mucho más que yo. He intentado ofrecerte una gran cantidad de ideas y herramientas que te ayudarán en tu día a día educativo a saber manejar el tema de la tecnología con tus hijos.

Puedes volver a estas páginas en el momento que quieras y seguir aprendiendo sobre aquellos temas en concreto en los que sigues encontrando dificultades.

Un último consejo: nada de lo aprendido aquí te servirá si no lo pones en práctica. Como señala Jack Canfield, «de nada sirve leer un libro sobre una dieta para perder peso si no se reduce el consumo de calorías y se hace más ejercicio». Por tanto, ahora viene la parte más importante: **aplica las pautas y estrategias aprendidas en el libro y adáptalas a tu caso concreto, a tus circunstancias personales, etc.**

Me despido con un deseo: ¡Sigue disfrutando al máximo de este apasionante viaje!

Webs de interés

Agencia Española de Protección de Datos: **https://www.aepd.es**

Chaval.es en la red: **http://chaval.es**

Empantallados: **http://empantallados.com**

Instituto Nacional de Ciberseguridad: **http://www.incibe.es**

Internet Segura For Kids: **https://www.is4k.es**

Kids and Teens Online: **https://kidsandteensonline.com**

Línea de Ayuda internet Segura For Kids: **https://www.is4k.es/ayuda**

Oficina de Seguridad del Internauta: **http://www.osi.es**

Pantallas Amigas: **http://www.pantallasamigas.net**

Glosario 2.0

¡No puedo seguir jugando! Me he caído.
¿Cómo que te has caído? Yo te veo sentado…
No, papá, se me ha desconectado la partida online multijugador.

Bienvenido a la jerga digital de tus hijos. Se trata de una nueva forma de comunicarse que ellos entienden muy bien pero que, en muchas ocasiones, nos deja fuera de juego. Se trata de una jerga viva y cambiante, por lo que «estar al día» es muy difícil. No obstante, te recomiendo que aprendas aquellas palabras o expresiones que usan en sus videojuegos, redes sociales, etc. Te ayudará a acercarte al mundo digital y ponerte en alerta ante posibles peligros.

Palabras que os deben poner en alerta:

App: aplicación para móvil o tableta.

Banear: bloquear, suspender o prohibir una cuenta. Suele producirse por el incumplimiento de las normas de un determinado sitio.

Blogger: persona que escribe un blog.

Bug: error de programación en un juego, que afecta negativamente a su funcionamiento. Según su grado de influencia, puede impedir progresar en el juego a partir de un punto o directamente no permitir ejecutarlo.

Challenge: término inglés que se traduce por «reto». Son habituales en las redes sociales: reto para hacer ejercicio, reto para adelgazar, etc. Muchos son peligrosos para la salud de los menores por resultar excesivos o dañinos.

Fake: perfil de una persona o una publicación «falsa» o «artificial», como por ejemplo «es una cuenta fake de Justin Bieber»

Followers: «seguidores» o personas que siguen un determinado perfil en una red social.

Hashtag: término inglés que se traduce por «etiqueta» y es una palabra o expresión precedida por una almohadilla (por ejemplo #adolescentes). Se utiliza en las redes a la hora de compartir una imagen o mensaje, con el objetivo de que otros usuarios puedan encontrar

 Algunos hashtags que deben poneros en alerta:

#Ana: utilizado para etiquetar imágenes o mensajes relacionados con la anorexia.

#Mía: usado para referirse a la bulimia.

#Nudes: usado para referirse o solicitar imágenes de desnudos o con poca ropa.

#Proana o **#Promia** hacen referencia a **#Ana** y **#Mia**

#Selfharm: utilizado para etiquetar imágenes o mensajes relacionados con conductas de autolesión, como cortes (#cutting), quemaduras o suicidio.

contenidos sobre ese tema concreto y conocer gente con los mismos intereses (por ejemplo, a gente quien le gusta la #astronomía).

Hater: persona que difunde mensajes negativos hacia una entidad o persona para hundir su reputación online. Aunque un hater es muy parecido a un troll, suele ser más contundente que un troll. Directamente puede llegar a insultar de forma descarada y premeditada.

LOL: con varias traducciones del inglés (por ejemplo, *laughing out loud*), se utiliza como sinónimo de «partirse de risa». Si alguien escribe las sigla LOL quiere transmitir que hay **algo que le hace reír**, que es gracioso o que simplemente le hace pasar un rato divertido.

Stalker: acosador o persona que dedica mucho tiempo a investigar el perfil de otro usuario.

Troll: persona que, bajo el anonimato de internet, publica mensajes en una discusión en un foro, un chat o una red social. Estos suelen ser irrelevantes y probablemente no guarden relación con el tema que se está discutiendo. Por lo tanto, el objetivo de un troll no es otro que confundir, provocar o irritar a los participantes de esta discusión para que se terminen enfrentando entre sí.

Como nos recomiendan desde is4k:

«Normalmente, esta forma de comunicarse en internet se reproduce en otros medios, en lo que dicen o en lo que escriben. Mantener los ojos abiertos y fomentar la escucha y la comunicación es la mejor combinación para prevenir o sacar a la luz sus problemas o dificultades. Conocer su "idioma" nos permitirá acercarnos a esta parte de su día a día, que son las redes sociales, y compartir con ellos su experiencia en internet y su forma de relacionarse».

Bibliografía

ÁLAVA SORDO, S., *Queremos hijos felices*, J de J Editores, 2014.

ÁLAVA SORDO, S., *Queremos que crezcan felices*, J de J Editores, 2015.

BANDERAS, A., *Niños sobreestimulados*, Libros Cúpula, 2017.

BILBAO, A., *El cerebro del niño explicado a los padres*, Plataforma Editorial, 2015.

CERVANTES, P. y TAUSTE, O., *Tranki pap@s*, Oniro, 2012.

CERVERA, L., *Lo que hacen tus hijos en internet*, Integral, 2014.

GONZÁLEZ, O., *365 propuestas para educar*, Amat, 2015.

GONZÁLEZ, O., *Escuela de Padres de niños adolescentes*, Amat, 2016.

GONZÁLEZ, O., *Escuela de Padres de niños de 0 a 6 años*, Amat, 2016.

GONZÁLEZ, O., *Escuela de Padres de niños de 6 a 12 años*, Amat, 2016.

GUEMBE, P. y Goñi, C., *Educar entre dos*, Ed. Desclée de Brower, 2017.

GUEMBE, P. y Goñi, C., *Una familia feliz: guía práctica para padres*, Ed. Toromítico, 2014.

HERRERO MARTÍN, G., *Alimentación saludable para niños geniales*, Amat, 2018.

JARQUE GARCÍA, J., *Los juguetes, internet y el tiempo libre*, Gesfomedia, 2007.

KILBEY, E., *Niños desconectados*, Ed. Edaf, 2017.

MOLL, S., *Empantallados*, Larousse, 2017.

NASCIMENTO M. y PETRIZAN, A., *13 razones para hablar con tu hijo adolescente*, Ediciones B, 2017.

PUYOL PÉREZ, A., *Nuevas tecnologías, nuevas adicciones*, Gesfomedia, 2010.

URRA J., *Mi hijo y las nuevas tecnologías*, Pirámide, 2011.

URRA, J., *Educar con sentido común*, Aguilar, 2009.

URRA, J., *Respuestas prácticas para padres agobiados*, Espasa, 2013.

ZABAY, M. y CASADO, A., *Todos contra el bullying*, Alienta, 2018.

Recursos adicionales

Apreciado lector, muchas gracias por compartir tu valioso tiempo conmigo. Ha sido un placer acompañarte durante tu lectura. Si quieres podemos seguir «conectados». Te invito a seguirme a través de mis redes sociales:

Twitter: @OscarG_1978
Instagram: @oscargonzalezoficial
Facebook: facebook.com/oscar.g1978

Si estás interesado en mis programas de formación para familias online, escuelas de padres, talleres, seminarios, etc., visita la web **www.escueladepadrestrespuntocero.es**. Son talleres prácticos (presenciales y online) diseñados para ayudar a las familias a educar con talento, cariño y con mucho sentido común. Puedes seguir estos programas a través de las redes sociales:

Twitter: @Escueladepadres30
Instagram: @escueladepadres3.0
Facebook: facebook.com/EPadres3.0

Contacta conmigo en:
oscargonzalez@escueladepadrescontalento.es

Escuela de Padres 3.0

La Escuela de Padres 3.0 es una **plataforma online** de Óscar González que pretende servir de **ayuda, orientación, aprendizaje y colaboración** a madres y padres durante el proceso educativo de sus hijos.

Todos los padres desean educar bien a sus hijos, pero muchos encuentran grandes dificultades para lograr esa aspiración. Estamos convencidos de que **no existen recetas mágicas para educar a nuestros hijos,** no poseemos la «alquimia educativa» que nos resuelva todos los problemas, pero sí que ofrecemos **pautas, herramientas y principios educativos** para que puedan llegar de un modo práctico al fondo de sus problemas y dar respuesta a sus inquietudes, dudas y temores.

Además de los mencionados, uno de nuestros objetivos prioritarios es «aprender todos de todos». Este proyecto es **una experiencia enriquecedora para todos los participantes,** donde la visión y experiencia de otros padres nos ayudarán a completar y enriquecer la propia.

Es necesario un cambio en el concepto tradicional de escuelas de madres y padres, un modelo obsoleto. Nuestro proyecto establece **un nuevo modelo** práctico y dinámico que ofrece resultados reales. Una de las quejas frecuentes de los centros educativos es que los padres y las madres no participan en este tipo de iniciativas. Nosotros ofrecemos un proyecto avalado por una altísima participación e implicación por parte de las familias.

Para más información sobre la Escuela de Padres 3.0 accede a la web: **www.escueladepadrestrespuntocero.es**

Contacta con nosotros en:
info@escueladepadrestrespuntocero.es